JOURNAL INTIME

DU MÊME AUTEUR

L'Un pour l'Autre
Galilée, 1999, Folio, 2001.

Lettre d'une amoureuse morte
Flammarion, 2000, Folio, 2002.

Les Fleurs du silence
Flammarion, 2001, Folio, 2004.

L'Ange de la dernière heure
Flammarion, 2002, Folio, 2005.

Lumière invisible à mes yeux
Éditions Léo Scheer, 2003.

Le Rêve de Balthus
coédition Fayard/Léo Scheer, 2004, Folio 2007.

Le Cercle de Megiddo
Éditions Léo Scheer, 2005, Le Livre de Poche, 2007.

L'Ombre des Autres
Éditions Léo Scheer, 2006.

NATHALIE RHEIMS

JOURNAL INTIME

roman

Éditions Léo Scheer

Pour Mylène

Sans cesse t'imaginer, faire vivre ton absence. Ce manque de toi qui jamais ne me quitte. Cette douleur qui me serre.

Dormir. Mais tu hantes mes rêves. Éteindre les lumières. Mais tu brûles dans la nuit. Sombrer. Perdre la mémoire, t'effacer. Oublier ta silhouette, déchirer ton regard. Faire silence. Que le son de ta voix s'abîme sous la terre.

Détruire tes lettres, tout engloutir, jusqu'à ton existence, revenir en arrière. S'enfuir, ne pas lever la tête, fermer les yeux et passer mon chemin.

Ne me parle pas. Pourquoi prendre ma vie, alors que la tienne est ailleurs ?

Les mots viennent ainsi sur ma feuille. Pourtant, ce n'est pas ce que je veux écrire. Je dois m'enfermer, me cloîtrer pendant une semaine pour lire, relire et corriger les épreuves de mon dernier roman, avant que la lumière éclaire ses personnages.

Avec ce livre commence une autre histoire, la mienne, celle que je veux raconter maintenant. Elle naît de la fiction. Boîte à secret du récit se poursuivant à travers l'encre qui se déverse.

Travestissement, escamotage du réel. Coffre à double fond, car tu apparais et disparais comme par magie. Tu illumines le ciel et l'assombris. Homme éphémère qui danses sur le fil de l'oubli, tu te glisses dans ma vie et deviens tangible.

Je n'ai jamais eu le goût de la confession. Je ne cherche pas le pardon. Par les mots, je voudrais laisser aller ma vie au hasard. Dire. M'avouer vaincue. Écrire pour triompher du Mal. Trouver l'arme absolue contre le vide. Crier les mots pour que ma trachée étranglée par le chagrin se libère.

Histoire des autres, sans doute, mais pas la mienne. Pas dans mon écriture. Alors que jusque-là je transposais, métamorphosais, dissimulais, tout en étant présente à chaque ligne.

Mais dans cette histoire qui est la nôtre, je lève l'interdit. Au risque de tout perdre, j'ai décidé de bloquer le mouvement des aiguilles. Je t'affronte, toi qui restes obscur par peur de l'éblouissement, toi l'anonyme.

Jouer entre rêve et réalité. Se cacher dans un tableau, dans un manoir, sous les traits d'un fantôme, mêler les fantasmes à la vie.

Que s'est-il passé, comment en être certaine à présent ? Ce livre t'est destiné. Le précédent appartenait à ton ombre. Ce personnage de fiction avait-il seulement quelque chose de commun avec toi ? En relisant, je me demande encore qui tu es.

Je t'ai rencontré un jour de juin dont tu retrouveras la date inscrite sur la page de titre où je t'adressais mes premiers mots : « Pour vous, cher… »

Toi. Douze jours dans l'inconnu. Le reste a basculé dans le néant, dans ce cachot où tu m'assignes et me tiens au secret.

Alors je suis là, dans cette bibliothèque. Je me lève et regarde les vieux volumes alignés sur une étagère.

Montaigne. Par la pensée, je t'envoie son adresse au lecteur :

« Ainsi je suis moi-même la matière de mon livre, ce n'est pas raison que tu emploies ton loisir en un sujet si frivole et si vain. » 12 juin 1580.

Montaigne, un sujet frivole et vain, que devrais-je dire de moi ?

La transmission, les ondes courent au-delà des lieux qui nous séparent. Transmettre, rêver de toi pour que tu m'entendes. Écoute. C'est moi qui te parle.

Réponds, s'il te plaît. Mais tu n'existes que dans ce récit.

Je me retourne vers l'ombre, mais alors revient cette phrase lancinante, ces mots tels des spectres : « Je suis moi-même la matière de mon livre. »

Comment raccrocher les scènes du roman à des instants que nous avons vécus ? La trame de ma mémoire se défait dans l'air. Elle me sert à son heure, pas à la mienne…

La mémoire nous échappe pour plonger dans l'oubli, car le temps règne en maître et nos efforts pour le retenir sont dérisoires.

Comment te retrouver, toi qui t'enfuis ? Comment te retenir ? Combien de livres il me faudra te dédier, pour que tu comprennes ? Écoute-moi. Lis ces lignes. Je t'en supplie, c'est mon sang.

Lorsque tu m'as appelée à la fin de l'été, j'aurais dû raccrocher, changer de numéro, sentir le danger.

J'étais si loin de l'idée de tomber amoureuse. Je t'avais dit que je signais dans une librairie de la rue Rambuteau. Je me revois derrière cette table, cherchant une dédicace différente pour chaque lecteur.

L'air était doux, le jour encore long. Je t'ai aperçu près de la porte. Nos regards. Tes yeux sombres. Ton visage émacié. En te voyant apparaître ainsi, j'ai pensé au diable.

Tu t'es approché. Je t'avais déjà vu. Tout se trouble à présent. Je cherchais, plongeais dans mes souvenirs. L'année de l'amoureuse morte. L'étais-je déjà à cet instant ? Le temps se ralentit. Et toi, t'en souviens-tu ?

Je reste dans le noir et je me dis que tu es là. Je te parle. J'entends l'écho de ta voix :

« Bonjour. Savez-vous que nous sommes voisins ? »

Voisins. Nous le sommes désormais. D'une rue. De quelques chemins égarés dans la campagne. Je suis devenue la femme d'à côté.

Trouver la corde qui me hissera jusqu'à toi. Mais tu dors à présent, ailleurs. La nuit, lorsque j'ouvre les yeux sur le vide de ta présence, le monde disparaît.

Le lendemain, tu m'envoyais des fleurs. Un homme vêtu d'une blouse verte déposait devant la porte des hortensias bleu délavé. Sur le papier cristal, une enveloppe épinglée, à l'intérieur une carte blanche sans nom et cette phrase :

« Il fait beau. »

Combien de fois, depuis, m'as-tu parlé du temps, de la pluie, du vent, de la neige.

Du froid, de la lumière au-dehors. Pour toi, c'est le temps qu'il fait. Pour moi, le temps qui est. Celui que tu me donnes est le seul qui m'importe. Lorsque tu n'es pas là, la tempête s'installe, même dans le ciel bleu.

Je n'ai pas répondu à ce bouquet de jardin. Alors tu m'as appelée. Pourquoi insister, laisser des messages qui restent sans réponse ?

Puis, un matin, ta voix. Et notre premier rendez-vous au Jardin des Plantes, dans la grande galerie de l'Évolution.

Devant les animaux naturalisés, tu m'as parlé de toi. Je te regardais te déplacer avec ta démarche de chat. Combien de femmes avais-tu emmenées ici ?

Tu semblais être là et, dans le même temps, insaisissable. Tu attendais un signe, un geste. L'illusion de l'amour comble les failles entrouvertes.

Je te fis face. Tes lèvres effleurées. C'est alors que tu devins maître du jeu, du temps, de ma vie. Dans ce geste infime, je me donnais à toi, mais devant les animaux morts, ce jour-là, tu ne le savais pas.

Le roman, ta présence travestie, magicien revenant du tombeau, l'existence de cette femme devient mon linceul. Votre histoire. La nôtre. Tout cela a-t-il germé dans mon esprit à cet instant ?

Ce baiser poignardait mon avenir. Relire mon roman. Relier les choses. Te retenir à n'importe quel prix.

Les premières phrases sont nées dans le train qui nous ramenait du Sud de l'Angleterre. Premier voyage, première nuit dans tes bras. Que le jour ne se lève plus jamais. Mourir là.

Mais le jour se leva comme les autres jours. Et je regardais les lumières de Paris qui approchaient derrière les vitres du wagon.

Tu pars, tu t'éloignes. Toi, né pour l'obscur, qui, à nouveau, disparais. L'histoire d'amour entre ces deux personnages s'est alors imposée comme une nécessité.

Pourquoi parler d'illusion de l'amour ? Pourquoi ce récit ? Pour raconter notre histoire et basculer dans la passion, parce qu'écrire c'est ma vie ?

Ne pas sombrer. Ne pas être engloutie par le chagrin. Lorsque je n'écris pas, il ne m'arrive rien. Je commence toujours par cette phrase, parce que le silence nie le chaos.

Quand l'écriture monte en moi, tu apparais, et pourtant tu es si loin. C'est la part de l'oubli qui affleure, recouvrant la tristesse.

Faire place nette, permettre aux sentiments d'advenir, de balayer tout ce qui a précédé. Mystérieuse double boucle de l'écriture. Ne pas dire ce qui m'arrive, pas de cette façon.

Se cacher, comme en état de siège. Se mettre à l'abri. Te dissimuler entre ces lignes. Te protéger des dissonances, des indiscrétions qui tuent, des balles à bout portant.

Dans le même temps, te faire vivre dans ma lumière. Sentir. Donner aux autres mon histoire, qu'elle devienne la leur.

Crocheter les serrures à coups de stylo. Ouvrir les portes une à une. S'approcher de toi au plus juste. Ne pas savoir. Ne pas anticiper. Vivre et écrire dans l'instant.

Lorsque je n'écris pas, il ne m'arrive rien. Lorsque j'écris, tu surgis, mais comment t'emporter, te saisir, te garder, toi qui t'en vas sans cesse ?

Chaque jour, recommencer, et tout deviendra possible. Tu prends corps par ces mots. Je t'absorbe dans mes feuilles. Je te parle un langage qui m'est réservé et qui ne peut inscrire ton nom car moi seule le connais.

Tes lèvres effleurées. Qui peut savoir que ce sont les tiennes ? Elles sont celles de chaque homme aimé, désiré par n'importe quelle femme que l'amour dévore.

Ainsi tu deviens *tous les hommes*. Tu souffles l'air qui glace et celui qui réchauffe.

Tu imprimes notre histoire à ta mesure, parfois en une sonate, parfois en un requiem. Le goût de tes lèvres.

Le carrefour de la Madeleine. Puis cette phrase : « Je suis un cynique bienveillant. » Me taire à nouveau. Refermer ma porte. Surtout ne plus ouvrir.

Les mots sont des corps invisibles qui se déplacent dans l'air. Ils nous pénètrent, nous possèdent. Combien en as-tu dans ta boîte à double fond ?

De A jusqu'à Z, donne-moi tous les secrets de ton savoir. Alchimiste du verbe, comment fais-tu pour traverser le chemin, que cherches-tu ?

Je refermai ma porte, bien décidée à ne plus te revoir. Tu n'étais pas libre. Prisonnier de ton avenir. Le silence s'installa.

Mais sans cesse mes pensées te retrouvaient. Je t'imaginais hors de portée, derrière tes fenêtres, je te pensais à chaque seconde.

Dans Paris, je voyais ta silhouette à chaque coin de rue. Plus de repos. Je sur-sautais à chaque sonnerie de téléphone, mais ce n'était pas toi.

Tu restais indifférent au venin qui s'infiltrait dans mes veines. Plus de sommeil, plus d'appétit. Te faire vivre à l'intérieur d'une fiction pour que tu m'accompagnes tout le temps, te choisir un prénom.

T'installer dans ce manoir anglais où nous avions été, t'emmener au siècle dernier parmi les spectres, demeurer près de toi. Vivre ensemble à travers ces pages, puisque ce soir encore tu me manques tellement.

Me concentrer sur mes épreuves, les relire, voir si la vérité surgit de l'ombre. L'épreuve de relire, l'épreuve de revivre ces montées vers le ciel, ces descentes dans les gouffres. Comprendre pourquoi j'ai fait de toi un fantôme qui ne parvient ni à revenir ni à s'en aller vraiment, parce que tu me hantes.

La réalité me conduit à sublimer notre histoire, car finalement elle est si banale. Un homme désire posséder une femme, et reste prisonnier d'une autre.

Jeu de dupes. Poker menteur. Le destin accomplit son œuvre. L'amour. Comment y penser ? Et toi qui t'en défends.

Les cordes se tendent, se mettent au diapason. Les corps s'accordent et jouent la même partition.

Il faut reconstruire le cadre du temps, celui que la fiction fait voler en éclats. Ici, les minutes sont d'une autre nature. Le temps avance, inexorable, vers l'extinction de tout le reste.

C'est moi qui te rappelai. Happée par le vide, je fis ton numéro.

Devant le miroir de la bibliothèque, je cherche des raisons à la douleur de ton absence. Je scrute mon reflet pour tenter d'effacer le tien, mais c'est toi que je vois quand je me regarde.

Tu es dans tous les tableaux. Dans toutes les images fixes ou en mouvement. Acteur principal de ma vie, je te projette sans relâche. Je contemple les autres, les dévisage, je cherche dans leurs traits le moyen de ne plus te voir. Mais rien n'y fait.

J'ai découpé çà et là des photos de toi. Elles reposent dans une boîte en fer, avec des billets de train, des lettres. Collectionner les rendez-vous furtifs comme autant de trésors. Devenir le conservateur de notre musée imaginaire.

La vie se déroule seconde après seconde, minute après minute. Chaque heure loin de toi avance au ralenti. Près de toi, le temps brûle, se consume, se réduit en cendres.

Il faut que je revienne à ce jour où je te retrouvai sur un banc, square du Roule. Tu m'avais donné rendez-vous comme on accorde une grâce à un condamné.

Je te regardai arriver, traverser la rue, pousser la grille. J'eus l'impression que tu dansais, que tu allais t'élever, céleste.

Tu t'assis près de moi et me pris dans tes bras. Les gens passaient devant nous, indifférents. Me transformer et devenir l'une de ces femmes, une autre, qui ne t'aime pas.

Aller à la rencontre de l'âme inconnue, la tienne, la mienne. Je te cherche, te traque dans la fiction, là où la vérité éclate derrière une porte dérobée, là où elle se glisse. Échapper aux censeurs, à la peur de blesser, de faire mal, de détruire, irradier la vraie vie, celle que l'on ne peut écrire.

L'amour transfigure, sublime les choses, porte à la rêverie. Recueillir chacun de tes mots, vivre chaque seconde, navigateur traversant tes océans d'absence. Parfois, je te retrouve, tu me donnes l'illusion que tu existes.

Je regarde une vieille femme solitaire sur le banc d'en face donner des graines aux oiseaux. J'ai beau tout te donner, tu t'envoles à nouveau. Qui prendre à témoin ? Elle ? Je voudrais que le monde entier nous voie, me croie et, dans le même temps, garder ce secret au-delà des souffrances.

Dans quelle langue nous raconter ? Comment le dire ? Je reviens à la page de titre, là où un nom est inscrit, le mien, celui de mon père.

Lorsque j'écris, je pense souvent à lui, à travers les mots qu'il aurait acceptés ou refusés. Je prolonge notre dialogue, notre lien invisible.

C'est celui que je voudrais établir avec toi, avec ce journal, le tien. J'ai besoin de comprendre ce qui se passe lorsque tu n'es pas là.

Lire. Découvrir les textes consacrés aux journaux intimes. Dans *Le Pacte auto-biographique*, Philippe Lejeune rappelle comment le discours académique fait semblant de s'adresser à celui dont on raconte le parcours devant un cénacle qui en est le véritable destinataire.

Nommer l'autre. Te nommer, oser le « tu ». Qui peut m'empêcher de raconter ma vie ? Toi qui me tiens dans les marges, j'ai pourtant peur de te perdre. C'est ce qu'aurait pu dire Michel Butor, lorsque dans *La Modification* il utilise le « vous » pour d'étranges aveux.

Alain Robbe-Grillet a été élu sur le fauteuil occupé par mon père. Prince de l'improvisation, il refuse de donner son texte à l'avance. Cette rébellion compromet la cérémonie du quai Conti.

Maurice en aurait-il éprouvé de la tristesse ? Lui qui n'avait que son certificat d'études, juif, cancre promis par son père à l'échafaud, devenir académicien était son but ultime. Il le fut, grâce à Paul Morand, à Maurice Genevoix. Pourquoi le priver de ce discours ?

Ce qui ne s'écrit pas s'évanouit, ce qui ne s'énonce pas fait que rien n'advient. J'aurais voulu entendre sa vie évoquée au présent.

Revenir près du feu de cheminée, dans ce manoir anglais, riche des heures qui s'annonçaient.

Je te posais des questions, à toi mon amoureux furtif. Je voulais tout savoir, décrypter le code, te percer à jour.

Comprendre pour moins trembler. L'amour s'infiltre comme une maladie, un long symptôme qui s'empare de vous et laisse se décomposer votre corps d'avant.

Tu me parlais de tes parents, de ton enfance. Mais parle-moi des autres femmes, de celles qui, jusque-là, ont occupé ma place. Espace libre, vacuité destinée à l'emploi. Parle-moi des escortes de ta seule soirée libre. Une par semaine. Scène en un acte, rideau qui tombe à l'heure où le carrosse ne se transforme pas.

Pourquoi m'offrir ces quelques jours, y a-t-il un espoir, une rémission ? Tenir. Remporter le rôle, mais autrement, sur un autre registre. La même chose mais avec amour.

Réécrire notre histoire, mais pas en prose, en vers, en rythmes profonds. Tu m'as tendu une partition vierge, à moi d'inscrire les notes.

Et vous, cher Alain Robbe-Grillet, qu'auriez-vous dit de Maurice sur le chapitre des femmes ? Souvent je lui disais de raconter, d'en faire un livre. Invariablement, il relevait ses lunettes sur son front et, plissant les yeux, dans un sourire, il murmurait :

— Ce serait l'enfer.

Emporte-moi maintenant, pas dans un mois ni dans vingt ans. Ne laisse pas le temps tout dévaster. J'ai commencé ce roman pour vivre avec toi, pour que tu restes là. Je prenais mon stylo et tu prenais corps, nous vivions entre les lignes.

Croyant en la toute-puissance des mots, je te traque. Je me dis qu'un jour, au détour d'une phrase, tu apparaîtras, tel un génie d'Aladin surgissant du papier.

Tu me diras :

— Viens, suis-moi.

Quel est le mot magique pour que tu adviennes ? Quelle est la formule secrète, en combien de lettres, consonnes, voyelles, mots courants, noms propres ? Je trace tes initiales, mais rien ne bouge.

Le bruit du train dans le soir qui tombe. C'était l'année dernière. Bientôt un an que je t'ai rencontré. Dans la chaleur du wagon, je fermai les yeux.

Le train s'arrêta dans une gare de campagne. En me réveillant, je te vis griffonner dans un grand cahier noir. Je t'interrogeai.

Tu finis par m'avouer que tu tenais un journal intime. Tu écris ta vie, notes ton quotidien, et cela depuis trente ans, tous les jours, à heures fixes. Tu consignes tout, épingles chaque détail. Tu me dis cela d'un air détaché, presque désinvolte.

Après ces heures passées dans la campagne anglaise, tu te mis à m'appeler deux fois par jour, le matin, puis en fin d'après-midi.

J'avais si peur de rater ta voix que je gardais mon téléphone au creux de la main, comme si tu y résidais. Lorsque tu raccrochais, j'avais l'impression d'être au bord d'une falaise.

Le même manque de toi m'étreint tandis que j'écris ces mots. Aspirée par ton absence, réfugiée en moi-même, je fais le guet, attendant un signe.

Je restais des soirées entières allongée sur mon lit, à l'affût du moindre bruit. J'attends encore parfois, même s'il n'y a plus rien à attendre.

Si tu étais près de moi, je poserais mon stylo. Dormir, ravaler mes larmes. Sentir le soleil. Rire, vivre à nouveau.

Si je pouvais te serrer dans mes bras, j'arrêterais d'écrire, je passerais mon temps à te regarder, à t'écouter, plus rien n'aurait d'importance.

Je n'ai que ce moyen pour que tu existes. Tu as déchiré ma vie en conservant la tienne.

Ce que tu me dis, tout ce que tu fais, tu le notes là, entre ces grandes marges. Tu dissèques, analyses, tu te tiens à distance, te protégeant de moi, à l'abri derrière ce bouclier.

Tu t'écris pour toi seul, unique lecteur de ton existence. Un jour tu disparaîtras, tout sera emporté.

Dans le bruit du tunnel, assise en face de toi, j'ai pensé à ta geôle secrète, à toutes les femmes que tu tiens enfermées entre tes pages, tels des papillons.

Combien de lignes me seront destinées ? Et lorsqu'il n'y aura plus rien à dire, lorsque tu m'auras tuée, ayant épuisé ton sujet, tu ouvriras un autre chapitre.

Pourquoi m'avoir choisie, toi qui m'avouas n'aimer que les brunes ? Je suis la blonde d'un quatrain, la fille aux cheveux clairs.

Écrire pour que les choses arrivent, que la vie vienne à moi. Séduire le réel, le cacher dans les replis de la fiction.

Ainsi, tapie derrière les émotions, les tremblements, les syllabes chuchotées, je découvrais qu'en écho, un autre texte prenait corps. Deux partitions pour un même concerto. Deux manières de le jouer.

Dès lors, à chaque phrase de mon roman, je pensai à ton journal. Opposer l'imaginaire à la force de l'intime, aller jusqu'au bout, t'affronter, te le dédier.

Mais là, ce que je raconte, est-ce la vérité, ou un tiroir dérobé dans lequel serait enfermée une autre version de nous ?

Laisser les mots envahir l'espace. Lire ton journal et te dire : pars, viens, retrouvons-nous au bout du monde. Arrête d'écrire pour seulement te donner l'illusion d'exister.

Avoir le courage de m'en aller, puisque tu ne viens pas. Te dire c'est fini, pour que tu me retiennes. T'offrir des bribes d'aveu au prix de ma tristesse.

Te donner rendez-vous dans un bar d'hôtel, te regarder droit dans les yeux et te dire :

— Il faut que cela cesse, que cela prenne fin, puisque je ne suis qu'un sujet de plus, une femme parmi les autres, quelques feuillets supplémentaires.

Je voudrais qu'il n'y ait plus que moi dans ton journal, toi à qui j'offre ce texte, que tu m'aimes assez pour échapper au reste. Prendre le risque que tu m'écoutes sans que rien ne bouge. Que tout s'efface.

Après l'Angleterre, je m'emmurai dans ton absence, m'accrochai aux souvenirs. La traversée des ruelles glacées par la pluie fine, le vent, ta main qui me réchauffe, les flammes dans la cheminée de l'hôtel.

Ta vie, telle que tu me la racontais, celle que tu écrivais le soir, devenait la mienne. Te regarder, te voir exister près de moi, c'était comme si je contemplais l'univers.

Mais toutes ces images creusent davantage la brèche qui nous sépare. Quelques jours après, tu me quittais pour la première fois. Première rupture.

Sombrer dans l'onde. Ton prénom résonnait dans ma tête. Ton absence sculptait dans la nuit les contours d'un cauchemar.

Je me réveillais glacée de sueur, le souffle coupé, et ton visage venait heurter mon front. Je prenais ta photo sur ma table de nuit, la serrais contre moi.

Hurler comme à l'approche d'une mort imminente, puis la désirer, l'attendre.

Je t'attendrai jusqu'à l'ultime seconde.

Je te rappelai, te suppliai. Tu hésitais, étreint par les doutes, me disant que tu ne savais pas si tu voulais de moi.

Je poursuis la relecture des épreuves, au chapitre où j'installe le héros dans un dilemme inextricable. Choisir la vie auprès de l'être aimé ou la mort avec l'autre femme.

Quand j'écris, les noms, les prénoms ne me viennent que pour les personnages de fiction. Les autres restent anonymes.

Modifier les prénoms à l'intérieur du roman pour que les personnes réelles soient à l'abri du regard. Préserver ceux qui n'ont pas choisi la littérature comme unique raison d'être.

Lorsque j'étais enfant, ma mère m'avait dit un jour que la vie était faite de choix. Je me souviens que, sans vraiment la comprendre, cette phrase m'avait effrayée.

J'y pensais sans cesse. J'en avais fait un jeu. Choisir entre deux couleurs, deux pays, deux fruits, deux chemins. J'essayais de ne pas réfléchir, de suivre mon instinct.

Savoir reconnaître son destin, le sentir. Prendre le sentier qui me conduit à lui. Se blesser, s'égarer, tomber, mais continuer, avancer.

C'est la première fois que je parle de ma mère. Jamais elle n'est venue me rendre visite dans mes livres. Elle est morte depuis longtemps.

Quand j'étais adolescente, elle avait fait un choix, me laissant derrière elle. Des années durant, j'ai refusé sa décision. Elle m'a quittée, sans prévenir, pour un homme, m'abandonnant à mon père et à mon chagrin. Des mois de larmes.

Je ne sais toujours pas aujourd'hui si je l'ai comprise. J'ai fini par me résigner. J'avais fait son deuil avant qu'elle meure.

Enterrer l'amour, lui construire un tombeau de phrases. L'édifier au fil des pages. Te faire une sépulture en forme de livre. Écrire ton nom sur la couverture :

« Ici repose celui que j'aime et qui a choisi de ne pas me suivre. »

Choisir. Trancher. Couper. S'enfermer dans un espace clos, dans un temps défini. Transposer les choses. Plonger dans l'inconnu.

Surmonter le vertige, puis écrire ce bouleversement.

Michel Butor raconte l'histoire d'un homme de quarante-cinq ans, Léon Delmont, qui décide de rompre avec son passé. Dans le train qui va de Paris à Rome, le lecteur fait avec lui ce voyage.

Il quitte son épouse, ses quatre enfants devenus des étrangers, pour rejoindre Cécile, une Romaine dont il est tombé amoureux. Au cours de ce trajet vécu au présent, enfermé entre le passé immédiat et un futur proche, sa décision se modifie peu à peu. Ce texte à la deuxième personne du pluriel devient pourtant plus personnel encore.

Et toi, écris-tu à la première personne ? Parles-tu de l'Angleterre ? Racontes-tu le retour en train ? Ton cœur est-il lourd, ou établis-tu sur nous un constat de police froid et distant ?

J'attrape sur une étagère un exemplaire en grand papier du texte de Butor. L'envoi est daté du 15 octobre 1957, le dédicataire en est Raymond Queneau.

Sur deux colonnes figurent le nom des gares où il s'est arrêté et les heures correspondantes : Paris-Lyon 8.10, Dijon-ville 11.18, Bourg 13.02, Aix-les-Bains 14.01, Chambéry 14.53, Modane 16.28 (ici, Butor a dessiné une petite maison) et, à côté, 17.08, Torino 19.26, Genova 22.39, Pisa 1.15, Roma termini 5.45.

Vingt heures pour changer de vie. Vingt heures pour une métamorphose. Retrouver sa liberté, modifier l'itinéraire de son destin, changer d'aiguillage.

Évacuer les chimères, ne garder que les moments vécus. Et pourtant, toute chronologie mène à la fiction.

Comment, dans ton journal, exprimes-tu que tu ne veux plus de moi, que tu jettes mon amour dans la fosse aux oublis ? Comment décris-tu mes larmes, cynique ou bienveillant ? Écris-tu ta modification ? Ai-je seulement infléchi la moindre chose dans ta longue vie ?

Rousseau, Gide ou Sartre feignent de tenir un journal intime. Ils sculptent leur prose, laissant une trace pour l'éternité.

Pour le poète, l'exercice est tout autre. En 1956, enfermé à l'hôpital, Michel Leiris avait posé sur sa table de chevet *Le Livre* de Mallarmé. Son projet était de lier l'exercice poétique, par nature à l'abri du secret, avec le récit autobiographique à la première personne.

Remplir le vide d'où surgit le langage, sans autre fin que la disparition. S'essayer devant les pages au jeu de la vérité.

Leiris commence avec ses rêves, poursuit avec les mots qu'il aime, les assemble, les secoue dans un cornet, les lance comme des dés, laissant la magie les recomposer. « Les lois de nos désirs sont des dés sans loisir. »

Les mots sont des nœuds qui peuvent nous saisir jusqu'à l'étranglement. S'y abandonner comme à un dernier recours. Se réfugier en eux. Leur confier nos destins. Chercher. Trouver. Dessiner des anamorphoses. Rassembler les fragments disparates, puis reconstruire ce qu'on a délaissé, livré aux autres.

Je voudrais tant savoir comment tu bâtis ton mausolée de papier, comment tu retranscris tes rêves, tes fantasmes. Toutes les femmes que tu as étreintes, une heure, un soir. Comment les as-tu prises ? Quelles sont celles que tu as quittées ? Certaines ont-elles, à leur tour, raconté votre histoire ?

Tu me rappelles peu avant Noël, me donnes rendez-vous dans un salon de thé. Il y a un sapin, décoré de boules rouges. Un grand buffet dressé. Des biscuits en forme de bonshommes. Des étoiles en guimauve. Des pommes d'amour piquées dans un bocal de verre.

Des sensations de l'enfance se cognent à ma peine, impressions dissonantes de bonheur et de plaisirs impossibles à retrouver. Ma mère avait raison. Il faut faire des choix. Le mien est fait : toi, et rien d'autre, à n'importe quel prix.

Tu entres. Tu te diriges vers moi à pas lents, commandes deux thés et nous laisses dans le silence. Je garde les yeux baissés, attendant que la lame de la guillotine vienne glacer ma nuque. Mais tu m'accordes une grâce, un sursis, une chance de ne pas perdre la vie, ici, là, maintenant.

Alors, recommencer. T'aimer. T'attendre. Te rêver. Te penser. T'écrire. Tu donnes sans le savoir une suite à mon roman.

Relire et corriger ce qui éloigne de la vérité. Te faire avancer masqué, tel un fantôme s'introduisant par effraction. Choisir des prénoms pour que l'ombre se disperse. Passer de la lumière au blanc, couleur du deuil.

Toi l'épouse, toi qui préfères mourir plutôt que de le perdre, toi qui choisis le royaume des morts pour l'attendre, écoute, nos rendez-vous sont des cathédrales, des instants d'absolu, des cérémonies occultes.

Vivre retiré, en faire sa religion, sa croyance, enfermer la passion dans un coffre, dans un quartier de haute sécurité, s'assurer que rien ne filtre. Escamoter les apparences.

Pourtant, rien n'est plus lumineux que l'amour. Il est le chef opérateur de nos existences, sa lumière nous éclaire au milieu de la nuit.

Mes parents ont passé leur vie à en avoir d'autres. Ils ne se cachaient rien. Tout le monde savait. Tout le monde avait des vies parallèles.

Que rien ne soit prononcé, comme si la clandestinité abolissait les choses, comme si l'éther les plongeait dans l'oubli.

À mon tour, j'ai choisi de me taire, de ne parler à personne, de ravaler mon désir de nous raconter. Ne pas te faire exister dans ma parole, amputer tous les mots qui te concernent.

Ce qui ne s'énonce pas n'a pas de lieu ni de corps. Mais c'est de l'amour que naît le langage. T'appeler là, tout de suite, pour te lire ce que je viens d'écrire. Mais je ne le peux pas. C'est toujours toi qui appelles.

J'ai peur de ne pas t'entendre, j'ai peur que tu me gommes. Toi que j'attends des heures, que dirais-tu de ces lignes ?

Il est cinq heures du matin. Je ne dors pas. Le sommeil s'est enfui. Je corrige toujours le roman qui raconte notre histoire et je poursuis ce texte en même temps. Et toi, qu'as-tu consigné hier soir dans ton journal ?

Vivre ou raconter. Exister pour écrire. Éprouver, encaisser pour redonner à la fiction sa vérité. Savoir rompre, jusqu'à supprimer le souvenir de ses parents.

Autofiction. Celle que j'ai décidé, comme écrivain, de me donner à moi-même. Pour exister, pour devenir le personnage du roman de ma vie, je dois nier l'acte par lequel j'existe en dehors de lui.

Substituer l'un à l'autre. C'est après la disparition de ma mère que j'ai pu écrire mon premier livre. Sur la tombe de mon frère, mort dix ans auparavant, face à son nom gravé dans le marbre, devant ses dates inscrites, l'écriture m'a attrapée.

Se faire un avenir, se protéger par les mots pour que rien ne meure tout à fait. Peindre ma feuille à la manière impressionniste. Apparaître dans un paysage réel et transfiguré.

Prendre position, comme l'exigeait Sartre dans *La Nausée*. Faire tout chavirer au détour d'une phrase. D'un mot changer l'axe de son existence. L'écriture m'a fait naître au monde autrement, éclairant ma vie de cette lumière dont je rêvais.

Comment briser le pacte autobiographique, se placer à l'origine de ce que l'on est ? Je m'offre la fiction que j'ai décidé de construire en y incorporant l'expérience de l'analyse, celle qui fut la mienne, un peu particulière, étrange échange symbolique. Remonter jusqu'à la source, dans ma mémoire enfantine.

Tous les jeudis après-midi, durant des années, ma mère m'emmenait chez un homme que j'adorais, il s'appelait Serge Lebovici. Je revois le chevalet où je dessinais sur d'immenses feuilles blanches à l'aide de pastels de couleur. Je lui posais des questions. « Nous sommes les enfants de ceux qui nous élèvent », m'avait-il, un jour, répondu. Lui aussi avait raison.

Depuis quelques mois, comme lorsque j'étais enfant, je tente d'avancer, d'écrire ce livre sur toi, sur moi.

Je fais éclater mon imaginaire, j'en jette les morceaux pour former un kaléidoscope derrière lequel je me vois te regarder. Comprendre ce que tu veux. Ce que tu cherches. Résister pour ne pas mourir étouffée par ton absence. Enterrer ma mère une fois pour toutes et, de livre en livre, devenir sa fille, à ma façon.

C'est ma décision. Celle qui ne souffre aucune objection, celle qui tranche dans le vif. Quitter ceux que l'on aime, par amour, avant qu'ils nous quittent.

Est-ce bien ce qui se joue dans ton journal intime ? Parles-tu de ta mère ? As-tu compris qu'aucune femme ne pourra la remplacer ?

Mon ange des ténèbres, dresses-tu un tableau de ton époque ? Qu'as-tu fait pour être prisonnier, condamné à retracer ta vie, chaque jour entre dix-neuf heures et dix-neuf heures vingt ?

Je me faufile dans l'interstice de tes jours, m'entrelace entre les phrases de ton journal.

Les semaines passent et j'écris. Dans tes bras, l'émotion dépasse les mots. Lorsque tu me quittes, je prends mon stylo, essayant, à travers la fiction, de rester près de toi. Comment fais-tu pour me quitter après chaque retrouvaille ?

Les minutes défilent sur le réveil aux chiffres rouges posé sur la table de nuit. Tu me dis que tu t'en vas pour mieux revenir. Reste, je t'en supplie, reste, laisse-moi te regarder. Me glisser dans ton existence sans identité, sans papiers. Exilée de la lumière, je n'existe pas. Tu ne parles de moi à personne, sauf à ton journal.

Mais lui, sera-t-il réduit en cendres lorsque tu partiras ? Le détruiras-tu de peur que quelqu'un puisse me découvrir ?

Pourquoi ne pas me reconnaître dès maintenant, de ton vivant ? On dit bien « déclarer sa flamme », sa femme, mais alors que fait-on des autres ? On se tait. On chuchote. As-tu seulement pensé à moi ? Ce qui ne s'énonce pas…

Je suis la fille sans mot, sans nom, celle qui dérive entre deux eaux. Ne pas blesser. Protéger. Partir. Il faut que je m'en aille. J'en suis incapable, épinglée au fond de la boîte de ton cerveau.

J'attends ton retour. Je remplis ma cartouche d'encre, comme l'on met des balles dans un barillet. Je m'arme et j'écris ton nom silencieux.

J'avance dans la relecture des épreuves. Pourquoi l'héroïne préfère-t-elle un fantôme alors qu'un être de chair lui offre son amour ?

Accepter l'impossible et le sublimer, parce que tout avoir n'est pas la certitude du bonheur.

Plonger dans l'absurde, trouver la part morte et la faire renaître en se donnant entièrement. Ce que je recherche chez l'autre, c'est ce qui n'est pas né. Découvrir la part enfouie, la faire revenir jour après jour.

C'est ton ombre que je poursuis. L'abandon, le relâchement de ces vingt et un grammes, l'épaisseur d'un souffle, cette infime particule de toi que j'emporte dans mon cœur et qui n'appartient qu'à moi. Voilà tout ce qu'il me reste.

De cet amour surgit une puissance qui déborde tout, et cependant le secret reste là, au sein de la fusion, maintenant son emprise.

Tenir un journal pour figer le temps qui se dissipe, pour juguler l'angoisse d'un évanouissement futur. D'accord, mais alors il faut aller au bout. Trouver le sens de cette vie que l'on couche sur la feuille. La dérouler lentement, au rythme des saisons.

Cela implique de redéfinir avec exactitude les rapports entre soi et la vérité, et aussi de parler des autres, les maquiller, les corriger d'un revers d'écriture. Construire pour mieux déconstruire. Tenir à distance les souvenirs qui résistent et se figent. Réveiller la mémoire éteinte.

Entre ton journal et mon texte, j'instaure un rituel, une initiation. J'amorce la transmission d'un mystère, le nôtre. Je le sculpte dans un bois sacré et je chuchote : qui est cette autre qui gît en moi ? Sauras-tu la découvrir, la révéler au monde ? Ou bien la massacreras-tu, détruiras-tu un jour chaque chose qui nous concerne ?

Es-tu capable d'arrêter les compteurs, de remettre ta vie en jeu ? Es-tu prêt à perdre la tête et à te laisser aspirer au centre d'un trou noir, crise d'adolescence qui se traîne au long des années ? Préserver ses fêlures enfantines, se réfugier dans le passé.

Mais de l'autre côté du tourbillon, il y a ce qui se cache et qui se travestit, nous racontant des contes de fées ou des histoires de sorcières, laissant la poésie, l'imaginaire inonder l'existence.

Au début de son journal, le mardi 31 juillet 1923, Michel Leiris note :

« Vers cinq heures du matin, place de la

Madeleine, j'ai failli m'étouffer en avalant un iceberg. »

Hommage à la madeleine d'où surgissaient les fleurs du parc de Swann, les nymphéas de la Vivonne et avec eux tout Combray et ses environs ?

Quand je relis ce passage, cette étrange association entre deux lieux, deux êtres, c'est à toi que je pense, à notre coup de foudre. Je pense aussi au basculement de l'amour lorsqu'il faut le transfigurer dans l'écriture. Leiris s'était d'ailleurs retrouvé dans la situation singulière de rédiger son autobiographie entre les quatre murs de sa chambre conjugale.

Il faut que je remette de l'ordre dans mes pensées, que je fasse le tri. Arracher le vécu à la fiction. Je t'imagine, seul face à ta vie, tu recherches la maîtrise absolue, élagues les dérives de ton esprit, racles la terre, cisailles les haies au cordeau, entretenant ton jardin à la française.

Et moi, errant dans le labyrinthe, au milieu de ce paysage paisible et inquiétant, je donne des coups de pied dans les cailloux, fracasse les dalles auxquelles tu apportes tant de soins depuis des décennies.

J'approche, j'avance vers toi, faisant pousser des ronces entre tes certitudes. Mon amour parvient à faire dévier tes gestes méticuleux, et vaciller ton équilibre, fragile harmonie.

Brusquement la mort n'est plus à l'œuvre, ce n'est plus elle qui déroule tes années. La passion souffle, dérange ton bel ensemble. Et l'écriture advient.

Tout en relisant mon roman, à mon tour je commence à tenir un journal imaginaire, celui d'un autre, le tien, que je ne peux pas lire, que je ne peux que deviner.

J'élabore des hypothèses et je griffonne, je te capture par les mots, la pensée, les fantasmes. Je suis dans l'écriture. Le comprendras-tu lorsque tu liras ces lignes, ai-je un autre moyen pour t'emporter, te conserver à l'intérieur de mon corps ?

Je suis là, dans ton journal, qui devient mon journal intime, dans ce roman qui se refuse à décrire les choses sans les transfigurer.

Ici, dans la fiction, repose la réalité, mais pour la trouver, il faudra l'exhumer, ouvrir le cercueil. Et là, dans cette main raide et froide, un morceau de papier sur lequel sera écrit ton nom.

Aujourd'hui, 27 avril, cela fera exactement un an que nous nous sommes rencontrés.

Comme la nuit qui tombe, éteindre la douleur de ton absence. Revenir à l'enfance. Dans la cour d'école de la rue Robert-Étienne, penchée sur ma feuille, je traçais d'étranges hiéroglyphes. Une petite fille s'approcha et me demanda ce que signifiaient ces inscriptions.

— J'apprends à être écrivain, comme mon père, lui avais-je fièrement répondu.

C'était tatoué dans mon esprit. Emmitouflée dans cette blouse grise, avec ma première plume sergent-major, j'apprenais à raconter, à desserrer l'étreinte avec les mots qui nous sont offerts.

Toi seul as le pouvoir de me sauver. Pourquoi me refuses-tu ta main, à moi qui te tends la mienne ? Quel est cet anneau d'or qui brille à ton doigt gauche et qui m'aveugle lorsque tu m'enlaces ?

Je tombe. Tu es si loin. Ce matin, comme désormais chaque matin, tu m'as appelée. Faire comme si tout allait bien. Tu m'as parlé de ta soirée d'hier, d'un film que tu avais vu, de gens que tu avais rencontrés. Usant d'un autre *nous* au lieu du *je*, tu nous excluais.

N'importe quand, à n'importe quelle heure, j'ai besoin de te voir. Dis-moi que c'est possible. Réponds-moi de ta voix aux graves accents métalliques. Viens, laisse-moi effleurer ton visage sculpté par les ans, tes yeux que rien n'efface.

Devenir écrivain comme mon père. T'offrir ce texte comme je lui avais dédié le livre racontant sa mort avant qu'elle vienne, pour lui dire combien je l'aime et qu'enfin il puisse m'entendre, pour qu'il me parle en retour.

Gravir des montagnes, atteindre des sommets inaccessibles, s'élever. S'arrimer à la glace qui, chaque seconde, risque de se briser. Monter sans relâche vers ceux que l'on aime pour atteindre les cimes, sans avoir la certitude qu'ils seront là à vous attendre pour vous réchauffer.

J'ai froid dans cette nuit sans lune. Je la traverse, comme toutes les autres, suspendue à ton image. Dormir, perdre connaissance, s'abîmer dans les rêves.

Tu me donnes rendez-vous dans la forêt de Reux, au coin du petit cimetière. Je t'attends, assise au pied d'un cèdre. Au loin, je te vois arriver.

Plus tu t'approches, plus la terre se fissure, prête à m'engloutir à chacun de tes pas. Je m'enfonce sans pouvoir me retenir, j'aperçois ton visage penché au-dessus des branches, je crie ton nom, mais aucun son ne sort. Je sens tes mains qui frôlent mes cheveux. Puis tu t'éloignes sans te retourner.

Je me réveille, glacée, et reprends ma lecture, raturant un chapitre, comblant une faille dans le dispositif fictionnel. Ne pas prendre le risque de donner trop d'indices sur ce qui se cache derrière les personnages. Tout ça pour dissimuler ton choix ou plutôt ton refus de m'emmener.

Maurice, te souviens-tu de ce jour, je devais avoir sept ans, où tu étais passé près de moi sans me reconnaître, au jardin des Champs-Élysées ? Trop pressé, trop absorbé par la vie et les femmes. Combien d'entre elles auraient pu t'écrire comme je le fais ? Combien de promesses non tenues, combien de serments désavoués ?

Souvent je te demandais :

— N'as-tu pas envie d'être fidèle à une femme ?

Alors tu me souriais :

— À toi je le suis.

Malicieuses pirouettes dont tu avais le secret. Avoir plusieurs femmes, c'est n'en avoir aucune. Quoi de plus exclusif que l'amour ? On se fragmente, on se divise, se dérobant à l'une comme à l'autre, on court après le temps, celui des amants.

Je voudrais m'endormir dans tes bras, bloquer les horloges, que plus rien ne bouge, que l'air se fige, nous laissant seuls au monde.

Les minutes sont comptées. Sous les draps se tend le linceul et tout se déforme. Fossoyeur, ton heure est venue, c'est le temps des adieux. Porter un être en terre, le recouvrir de sa mémoire, puis graver la stèle et bâtir un tombeau.

Soldat inconnu de mon histoire, je te dresse un mausolée de feuilles. Repose en paix, toi qui peux me tuer d'un geste.

Je résiste par les mots, je t'affronte à travers l'écriture.

Depuis peu, parfois, nous partons ensemble, mais toujours à ta guise. Tu m'emmènes loin d'ici. Deux jours, trois jours près de toi. Simulacre d'une vie commune. Je me réfugie dans ces moments trop rares, précieux comme un soleil accrochant ses rayons sur la lagune.

Tu es devant moi, t'incarnant au gré de tes envies. Je te vois, à l'écart, seul avec toi-même, te confier à ton journal, y inscrire tes doutes, tes joies, tes tiraillements.

Je refuse de n'être qu'une initiale dans les cahiers de ta vie. Je rêve que les mots s'ouvrent, forment un espace où tout se dissiperait, nous accordant une place où il ne serait plus nécessaire de surmonter les souffrances.

C'est de l'intime que nous déleste l'écriture. Dissoudre la colle des souvenirs d'enfance. Franchir l'obstacle de la dérision qui empêche d'exister pleinement. Reprendre goût à la vie. Dépasser la vision idyllique de ce que nous avons cru être. Renaître par les mots en surgissant dans les tiens.

Sur le Pont des Soupirs tu m'as parlé de ce que tu notais, chaque jour, sans exception, depuis notre rencontre. Dans la lumière douce et sombre, je t'écoutais et, fermant les yeux, je t'emmenais le long des chemins buissonniers.

Demain nous rentrerons et tout sera tranquille. Juste quelques lignes. Tu te coucheras dans un autre lit, enlaceras un autre corps avec le sentiment de vivre. Celui que je t'ai donné.

Je retrouverai mes draps lisses de solitude. Je poserai ma tête sur l'oreiller, joindrai les mains dans une prière sourde. J'arrêterai de respirer parce que ton odeur se sera enfuie, accrochée à tes pas.

Par la fenêtre, j'aperçois la brume qui enveloppe le bocage normand. Je referme le livre où j'ai caché notre amour, verrouillé avec soin toutes les portes, jeté les clefs. Rien ne pourra transparaître.

Dissimulée, codée, notre histoire sera indéchiffrable, et malgré tout, puisque la vie nous sépare, je veux que mon écriture se glisse entre tes phrases et m'installe au cœur de tes confessions. C'est bien là, au creux de ton journal, qu'il me faudra vivre sans que personne en sache rien.

Avant de retourner à Paris, j'emporte avec moi, pour le relire, *Si le grain ne meurt.* Au milieu du livre, André Gide publie la lettre que lui a envoyée Roger Martin du Gard, en réponse aux passages qu'il lui avait soumis. Son ami lui reproche de ne pas en dire assez.

J'ai l'intuition que dans cette petite note glissée entre la première et la deuxième partie de ces mémoires réside le ressort de l'écriture. Celui qui me permettra d'opérer une transfusion magique dans ton journal. Il établit le degré de confidence que l'on ne peut dépasser sans avoir recours aux artifices, sans se faire violence.

Le danger, une certaine virulence, le pouvoir de contamination des mots ne tiennent-ils pas dans ce que l'on retranche et parvient à enfouir ?

À la mort de Madeleine, Gide écrit cette phrase en latin :

« Et maintenant, elle survit en moi. »

J'essaie de me représenter la maison de Cuverville où Madeleine, sa femme, sa cousine, son grand amour, reste seule, comme retirée au couvent. Gide est parti rejoindre Marc Allégret en Angleterre.

Elle ouvre et lit une lettre qui ne lui est pas destinée, découvre la vérité. Chaque jour, pendant trente ans, cet homme lui a offert les plus belles pages d'amour. N'était-ce que littérature ?

Elle se sent trahie et brûle toute leur correspondance. Gide est terrassé :

« Je lui avais donné le meilleur de moi-même, jour après jour, je me sens ruiné tout d'un coup, je n'ai plus le cœur à rien, je me serais tué sans effort. »

Madeleine lui demande de la rayer de son journal. Je voudrais être capable de la même détermination. M'en inspirant, je pourrais faire le chemin inverse et envahir tes phrases, ta syntaxe.

Je suis dans le train, perdue dans le brouillard d'un paysage qui défile. Je ressens le mouvement des turbines comme la force de cette passion qui me ramène vers toi.

Sortir de la fiction. Chasser les subterfuges. Avancer à visage découvert. S'accomplir tout en laissant mourir une part de soi. J'ai, à ce moment précis, l'intuition de saisir le point paradoxal par où la réalité enserre l'imaginaire.

Je prends mon cahier. Je retranscris une scène où je suis dans ce train et je pense à toi. Mots jetés pour te faire advenir.

Gare Saint-Lazare, je descends. J'avance sur le quai, la tête baissée. Je lève les yeux.

Tu es là. Tu m'attends. Je suis dans la scène que je viens d'imaginer, le rêve s'accomplit, je vais pouvoir commencer.

Chaque fois que les jours se déroulent sans nous, tu souffles sur les heures pour les remplir de ton absence étouffante. Comme pour reprendre possession des lieux, tu me poses des questions sur ce que je fais, ce que je ressens.

Que cherches-tu ? Je meurs d'envie de te le demander.

L'espace accordé à tes amours interdites est invariablement le même, tu sembles disposer d'une réserve de temps très définie. Tu donnes avec parcimonie, surveillant les minutes sans jamais oublier ta fuite prochaine.

Je crois que si tu te relâchais, si tu cessais de m'échapper, te laissant aller enfin, c'est la mort qui te ferait face. Pourquoi reste-rais-je suspendue à ton ombre, faut-il que je la traverse pour te retrouver ? Pourquoi subir un tel chagrin ? Accepter que tu me caches, que tu me dissimules aux yeux des autres.

Petite fille, j'étais persuadée d'avoir été trouvée dans une boîte. Je marchais, seule, près de l'étang de Ferrière, sûre que l'on m'avait recueillie, que je n'étais pas née de mon père, de ma mère. Que quelqu'un m'avait déposée sur les marches.

Ta façon de m'aimer me renvoie à ce sentiment d'abandon. Ton refus de me reconnaître me livre à la solitude de mes larmes. Je suis devenue dépendante de ta présence. Je collectionne nos instants. Après chacun de tes départs, s'ouvre le temps d'une agonie.

Souvent le soir, en m'endormant, je pense que je vais mourir avant de t'avoir revu. Les mots viendront-ils, tels des anges, me délivrer de ce sortilège ? Trouverai-je la liberté à la fin de ce livre ? Cette partie de moi que tu détiens, dont tu m'as amputée.

« Un jour, mon prince viendra », chante-t-on aux petites filles. Leur dit-on qu'il vient des ténèbres, qu'il ne nous emporte pas sur son cheval blanc, qu'il n'apparaît que la nuit, dans l'obscurité, se faufilant le long des murs, se retournant sans cesse de peur d'être vu ? Sauront-elles qu'il peut dire des phrases blessantes, qu'il n'a d'autre royaume que celui du néant ?

La foule des passagers a envahi le quai, me bouscule. Je te cherche, mais je ne te vois plus. N'étais-tu qu'un mirage, une projection de mon désir, un effet sous ma plume ? Pourtant, je n'ai pas rêvé, c'est bien toi que j'ai aperçu.

Le doute devient un miroir où se reflète ma propre perte, je la contemple comme un triomphe infernal. Tu es devenu l'image du diable. Plus je te nie, plus je cherche à te faire disparaître, plus je te donne une évidence qui s'impose à moi, anéantissant tout. Tu t'affirmes dans la négation même.

Tu étais là, j'en suis sûre, c'est moi qui n'y étais pas. Ce moi-là n'existe plus, il s'éparpille sur le quai, jusqu'à se disloquer définitivement. C'est ce moi qui écrit, qui t'écrit, qui s'efface pour te faire exister.

Il me faut lutter contre cette dispersion, réparer le miroir sans lequel rien de ce qui m'arrive n'a de sens. À commencer par moi-même.

Je reste immobile dans la gare désertée. Je retrouve, venu de l'enfance, un désir primaire de mourir, indissociable de toute autre forme de désir, écho de cette vie d'avant la naissance, comme prisonnière d'une enveloppe fœtale, livrée à une mère qui ne me laisse pas venir au monde. Vouée à ne pas être.

Chimère : monstre fabuleux. Chimérique : qui se complaît dans les chimères. Utopie. Je cherche dans le dictionnaire, espérant trouver dans les mots les raisons de ma tristesse.

Me regarder. Arrêter de penser que toi seul peux me voir. Me découvrir dans ce livre. Comprendre pourquoi je te poursuis, toi qui n'es qu'illusion.

Hier tu m'as emmenée marcher au Jardin des Tuileries. Une heure de ton temps si précieux. Tu me le fis remarquer. D'autres vous offrent leur vie. Je reçois des parcelles de la tienne. Je ne suis rien dans ton calendrier, pas même une date, tout juste une virgule, un accent circonflexe.

L'été de mes sept ans, à Saint-Florent, en Corse, j'avais fabriqué pour mon père une figurine en plâtre représentant une petite fille, que j'avais peinte avec soin.

Assise sous les canisses, j'attendais impatiemment qu'il sorte de sa chambre donnant sur la mer, pour la lui offrir.

Il surgit sur la terrasse, je me lève pour lui donner le fragile objet.

— Pas maintenant, je n'ai pas le temps !

Dans sa précipitation, il fait tomber ce morceau de moi qui se fracasse sur les lauses.

Il continue sa route sans même se retourner, indifférent à mes larmes.

L'émotion me détruit, me ronge. Je ne suis plus rien. Réduite en poussière. Exister dans la vie des autres pour échapper à la mienne. Découvrir ce que dissimulent les aveux de ceux qui veulent se raconter et pourtant ne peuvent rien dire.

Que cachait Mara, pseudonyme derrière lequel s'abritait une femme pour publier son journal ?

« 19 octobre 1958 : reprendre ce cahier, écrire ici jour après jour, seul moyen de lutter contre la mort – ou bien mutisme, perte de mémoire, somnambulisme et découragement – je m'installe depuis des années… Je voudrais qu'il y ait un dieu et

que je puisse l'appeler du fond de l'abîme...
Du fond de quel abîme ! »

Ainsi, Mara tenait chaque jour son *Journal d'une femme soumise*, cherchant à comprendre ce qu'elle vivait pour se sauver du désespoir. Mara vit dans un enfer et rêve du paradis.

Peut-être la mort vous rend-elle la mémoire. Est-ce cela l'Éden ? Le retour d'une vie oubliée. En attendant, le journal est dans la bibliothèque de l'enfer.

Il savait cela, Jean Marie Vianney, le curé d'Ars-en-Dombes, lorsqu'il dialoguait avec le diable au cours de ses nuits effroyables. Dieu l'avait-il jugé assez pur pour affronter cette présence envoyée par les forces du mal ? Belzébuth lui rendait des visites incessantes, lui volant son sommeil, le harcelant.

Dans cet affrontement, l'abbé trouva le pouvoir de libérer les consciences meurtries. Il devinait que les êtres ne peuvent s'élever vers la lumière sans traverser les ténèbres.

Toute sa vie, il resta cloîtré dans le confessionnal, chaque heure du jour, de la nuit, jusqu'à ce point d'épuisement où il basculait à nouveau dans un dialogue solitaire avec le démon.

Sur lui se déversèrent des millions d'aveux.

« Je pleure de ce que vous ne pleurez pas », disait-il.

Il portait les croix.

« Les épreuves, pour ceux que Dieu chérit, ne sont pas des châtiments mais des grâces. Les crucifix transformés par les flammes de l'amour sont des fagots d'épines que l'on jette au feu. Les épines sont dures, mais les cendres sont douces. »

D'où vient notre besoin de confession ? Comment rencontrer un être tel que lui ? J'aurais tant de questions à lui poser pour éclairer l'obscurité dans laquelle je suis plongée.

A-t-il, dans une sphère lointaine, dialogué avec Bernanos, qui affronte le mal *sous le soleil de Satan* ?

« Car depuis un moment (pourquoi ne l'avouerait-il point ?) *il n'est plus seul. Quelqu'un marche à ses côtés.* C'est sans doute un petit homme, fort vif, tantôt à droite, tantôt à gauche, devant, derrière, mais dont il distingue mal la silhouette – et qui trotte d'abord sans souffler mot. Par une nuit si noire, ne pourrait-on s'entraider ? A-t-on besoin de se connaître pour aller de compagnie, à travers ce grand silence, cette grande nuit ?

— Une grande nuit, hein ? dit tout à coup le petit homme.

— Oui, monsieur, répond l'abbé Donissan. Nous sommes encore loin du jour. »

J'avance sur le quai, à l'endroit où je t'ai vu. Je scrute les alentours, mais aucun visage ne ressemble au tien. Où es-tu ?

Un bagagiste traînant un chariot d'acier vient à ma rencontre et me propose de prendre les valises :

— Puis-je vous aider ? Vous êtes bien frêle pour porter tout ça !

Je lui fais signe de la tête.

— Vous arrivez de Normandie. Mais qu'elles sont lourdes ! C'est de l'or, au moins.

— Non, ce sont des livres.

Le petit homme murmure :

— Où allez-vous ?

— À la station de taxi.

— Vous allez rejoindre votre amoureux ?

Mon mutisme le renvoya au tumulte de la salle des pas perdus. Il chargea les bagages dans le coffre de la voiture. J'allais monter, quand une feuille de papier sur le sol attira mon attention.

Assise à l'arrière, sur la banquette, je la dépliai et reconnus ton écriture. C'était bien toi que j'avais aperçu. La preuve était là, sous mes yeux incrédules. Tu étais venu me chercher. Pourquoi être parti en laissant une trace de ton passage, feuille morte sur le trottoir ? Je commençai à lire :

« Mercredi 27 juin. 19 h.

Je te cherchais à l'extérieur de moi-même, mais toi, tu étais plus à l'intérieur de moi que ce que j'ai de plus intérieur. »

Quelle phrase ! M'était-elle destinée ? Ou bien te livrais-tu à cet exercice, une de tes poses favorites, permettant d'atteindre ce que tu nommes ton moi profond ? Ce lieu si complexe au cœur de ton être, qui chaque fois se retire et devient invisible.

Tel Casanova, tu voudrais être, dans ton journal intime, un homme anonyme, simple observateur de lui-même, entomologiste de son âme.

Pourtant, dans ce mouvement inconstant et inconsistant, tu entreprends de t'inscrire dans l'ordre des jours, des heures, des minutes, sculptant dans cette relation rigide au temps, et tu scandes ce que tu dis être ton état latent.

As-tu entrepris de trouver un sens à l'absurdité de l'avenir, un guide pour parvenir à l'effacement de tout caractère individuel et renoncer à toute passion ?

Est-ce une page de ton journal ?

Je la relis une fois encore :

« Mercredi 27 juin. 19 h. »

Oui, c'est bien toi qui as laissé là ce papier, espérant que je le ramasserais. Pour toi, cela signifie que chaque mouvement de ton âme tend vers une sorte d'élan mystique, idéal d'un bonheur utopique.

Tu m'envoies un tel signe au moment où je suis prête à te donner ma vie. Que cherches-tu à perdre, alors que tu ne veux rien, en me jetant à la figure de façon désinvolte ce qui doit rester caché ?

Écrire, c'est déjà laisser les mots traverser la lumière. Faire affluer l'inconscient.

Existe-t-il vraiment ? Ou bien n'est-ce qu'une idée métaphorique, admise par des esprits savants soucieux de faire entrer les égarés dans le troupeau ?

Une fuite supplémentaire de l'âme. Une limite poreuse que l'on cherche en soi. Une ouverture donnant sur le vide, celui qu'il faut rejoindre pour recevoir la grâce.

Je prends dans mon sac *La Vie parfaite* de Catherine Millot. Elle évoque Jeanne Guyon, grande mystique qui vécut en France au XVIIe siècle. Pour elle, le voyage vers l'intérieur, entrer en soi, c'est plonger jusqu'à heurter le fond. Mais le fond se dérobe et ressemble à une brèche infinie, où l'âme devient un abîme, où l'être se mélange à Dieu.

C'est le lieu de l'extase, mais, ajoute-t-elle, une extase lucide, laissant libres les sens, n'obnubilant pas la conscience des choses, sauf celle de soi puisque le soi est aboli.

Dans cette passion pour toi qui me déchire, je découvre aujourd'hui que ce n'est pas ma conscience que je dois rechercher, ce sont les mots évanouis qui me sauveront de ta dureté. Ma conscience est intacte, comme chez les quiétistes, si loin des paradis artificiels.

C'est moi qui disparais chaque jour sous mes yeux qui se ferment. Je est tout sauf un autre. Je n'est plus, il s'est égaré le jour où je t'ai rencontré.

N'est-ce pas ce qui déplaisait à Bossuet : avoir une idée de Dieu si proche du néant, et de plus en extraire une telle jouissance ? Jeanne Guyon fut internée à la Bastille et Fénelon condamné par le pape.

J'erre à la poursuite de ce qui m'enverra dans une cellule, celle de la passion qui mène à ma destruction. Sans motif ni raison d'aimer. Sans pourquoi. L'amour brûle, l'amour noie, l'amour submerge et envahit tout.

Don de soi. Passivité. Détachement. Indifférence. Le moi oppose une résistance qu'il faut faire exploser. Je ne suis, comme tout ce qui prétend exister, qu'une erreur dans l'océan du non-être, qu'une vague emportera.

Aller plus loin que l'écriture, survivre à l'encre répandue. Même si, comme l'imaginaient certains, Dieu est l'inconscient, même si l'inconscient est Dieu. Comment échapper à la métaphore des *Torrents* de Jeanne Guyon ?

« En prenant la plume, je ne savais pas le premier mot de ce que je voulais écrire. Je me suis mise à écrire sans savoir comment. Je trouvais que cela venait avec une impétuosité étrange. Ce qui me surprenait le plus était que cela coulait comme du fond et ne passait point par ma tête… »

Peut-être n'était-elle pas faite pour rencontrer quiconque à part Dieu. Mais moi je t'ai rencontré, et le temps, sans toi, file entre mes doigts tel le sang qui s'écoule. Quelle force me pousse à revenir, à subir cet abandon après chacun de tes départs ?

Vivre la mort de ceux que l'on aime. Comprendre que rien ne les ramènera. J'ai perdu mon frère, il y a dix-huit ans. Englouti sous la terre, scellé par une dalle où son nom est gravé. Perdu sans espoir de retour, il m'a abandonnée. Je ne le reverrai plus. Il me manque définitivement. Mon chagrin restera éternel.

Lorsque je te retrouve, toi qui t'en vas éternellement, je me dis que la mort n'existe pas, puisque tu reviens. « Rien n'est pire que la perte d'un enfant », me répétait ma mère, comme si elle pressentait qu'elle aurait à le vivre.

Je n'ai pas eu d'enfant, pour échapper à cette peur qu'elle m'a transmise. Mais peut-on échapper à son destin ? Il vous donne parfois d'étranges rendez-vous. Où est le pire ? Comment mesurer les degrés dans la douleur ? Qui peut dire « j'ai souffert plus que vous » ?

Toi qui prétends ne jamais souffrir, quelle est ta potion ? À quelle page de ton journal se trouve la clef de ton mystère ? Qu'y a-t-il sur ton chemin pour ne rien laisser voir de toi qu'un horizon obscur ? Un deuil est-il dissimulé dans tes cahiers, rempart qui te protège de tout ?

De retour chez moi, au dernier étage, sous les toits, j'ouvre les fenêtres de la grande pièce donnant sur les arbres d'un jardin. L'air est tiède. Il est tard, le soir arrive lentement. Assise à mon bureau, je relis les passages qui te sont adressés.

Mes précédents livres, je les ai écrits là, assise sur cette chaise, devant les feuilles posées sur cette table. C'est l'unique meuble que j'aie emporté à la mort de mon frère, son bureau d'avocat en acajou blond verni, longue planche cerclée d'acier reposant sur deux pieds larges, massifs.

Toujours les mêmes feutres pour former les phrases. Pas d'ordinateur. J'ai besoin du mouvement de la main pour imprimer le rythme, pour m'envoler sur la musique des syllabes.

Cette table est magique, je l'ai su à la seconde où elle est arrivée. Lorsque je pose mes mains sur le bois, il se transfigure, s'éclaire ou s'assombrit, passe de la chaleur au froid. Quelqu'un habite à l'intérieur. Peut-être est-ce un spectre qui t'écrit. Celui qui me fait vivre lorsque tu n'es pas là.

Me nourrir des mots pour ne pas dépérir. Arrêter d'avaler toute nourriture. Me réduire à un fil pour retrouver mon frère. Si légère que je pensais que mon âme allait rejoindre la sienne.

Il maigrissait au long des jours qui l'emmenaient vers la fin. La vie s'amenuisait en lui, le faisait disparaître sous mes yeux.

Les siens se sont clos. Les miens sont restés ouverts sur un monde défiguré par la mélancolie. Un sentiment de culpabilité m'empêchait de goûter les choses.

Son emprise m'attirait vers les ténèbres. Comment survivre, regarder les autres rire, refaire leur vie, enfanter, alors que je ne voulais plus rien d'autre que la même terre, le même cercueil, le même caveau ?

Tout se dissipe sauf ce qui est écrit. La mémoire plonge dans l'oubli, irradiant le temps. Perdre conscience, accepter ses faiblesses, ses mensonges, ses travestissements. Mais comment reconstruire sur les ruines ? Comment faire des promesses, des toujours qui ne tiennent qu'au souffle qui s'éteint ?

Mentir, se mentir à soi-même, par peur de suivre l'autre derrière le miroir. Se regarder, croire en un avenir possible, réviser le passé à coups de ratures, le recouvrir de blanc. Je préfère le noir. Il me rappelle chaque jour que tu n'es plus.

Je vole chaque heure à ton destin. Je te garde enfoui au creux de moi, hantée par ton absence, Louis, et hantée par toutes les autres, je poursuis celui qui s'en va.

Une imperceptible vibration. Est-ce bien toi qui m'envoies ce message sur l'écran du téléphone, me ramenant vers ton image ? Par touches légères, tu m'empêches de t'effacer. Effractions passagères.

Dans mon sommeil, tu m'échappes parfois, mais cet appel au petit matin, quand tu traverses le Parc Monceau, m'arrache à l'écriture, me rappelant, une fois encore, que le jour se lève sans toi.

Souvent, j'ai l'impression que tu n'existes pas. Et si tu n'étais qu'un rêve, une fiction, un personnage que j'aurais créé, jour après jour, pour construire ce roman, raconter ce qui relie chez moi le réel à l'imaginaire ?

Qui ment ? Qui dit la vérité ? Qui pourra croire à cette histoire ? Pas ceux qui m'entourent, car ils ne t'ont jamais vu. Ils se demanderont quand, où, à quelle heure tu t'incarnes, puisqu'ils croient tout savoir de moi.

Cet après-midi, je rends les épreuves corrigées à mon éditeur. Le livre sort en septembre. Je prolonge notre histoire en retraçant ces épisodes, seul moyen de rester à tes côtés.

« Rends-moi mon mari ! »,

s'écrie la femme du héros en ouvrant une porte sur l'au-delà. Moi, je n'ai rien pris, rien emporté. Juste écrire. Garder une sensation fixe de vivre tout en restant morte.

Instaurer entre nous cette langue inventée, identique à celle des anges. Sauras-tu trouver à l'intérieur de mon être la limite du dénuement ? Saisiras-tu mon âme ? Pourras-tu la capturer dans ton journal et la déposer dans l'esprit d'une femme heureuse ?

Catherine Millot dit que la « vie parfaite » suppose un point de non-retour à soi. Sortir à jamais du ventre de sa mère, sans retour possible. Comment feras-tu pour m'en éloigner et m'accueillir sans rien déranger ?

Lorsque Jeanne Guyon rencontre Fénelon, elle découvre un maître qu'elle souhaite dominer en lui donnant l'exemple, elle lui offre son abandon. Pour avoir prôné l'oraison passive, elle sera emprisonnée.

Bossuet ne vit dans une telle offrande qu'une invitation à tous les désordres par l'affranchissement du péché, par une libération permettant d'échapper à la culpabilité.

Le désir n'a plus ici la même forme que dans l'état amoureux, il ne jouit pas de l'objet désiré, au-delà de l'opposition entre plaisir et déplaisir, il s'apaise, permettant d'accéder à la liberté absolue, celle qui dépasse la souffrance.

C'est la relation entre Guyon et Fénelon que j'aimerais saisir dans l'écriture. Trouver par l'énergie des mots comment pénétrer secrètement dans ton journal.

« Dès le moment où je parlais, une oraison fut vide de toute forme, espèce et image. Rien ne se passait dans ma tête. C'était une oraison de jouissance et de possession. Dans la volonté où le goût de Dieu était si grand, si pur et si simple, qu'il attirait et absorbait les deux autres puissances de l'âme dans un profond recueillement, sans acte ni discours. J'avais cependant quelquefois la liberté de dire quelques mots d'amour à mon bien-aimé, mais ensuite tout me fut ôté. »

Sans acte, sans discours, je voudrais reposer au fond de ton âme, dans ces cahiers où tu te livres chaque jour. Te dominer à mon tour, prendre le dessus, contrer ton ego malgré toi.

Te faire atteindre la vie parfaite sans que tu l'aies cherchée. Et ensuite, que rien ne me soit ôté.

Notre monde privé de Dieu nous condamne à la quête d'une perfection coupée de toute référence, et fait de nous les exclus de la transcendance. Chacun chasse ses chimères, lutte contre le temps, refuse le vieillissement, se construit un corps idéal, rejetant son image originelle au risque de déchoir. Pour la sculpter à nouveau dans une forme qui délaisse l'âme.

Je me glisse dans tes fêlures. Je transparais dans tes phrases pour mieux les subvertir. Penche-toi. Je suis là, sous tes doigts.

Je veux être ton unique obsession. Où que tu sois, où que tu ailles, être là, que tu ne puisses plus ouvrir ou fermer les yeux sans que j'apparaisse dans tes pensées.

Hurler ton nom sur les toits, dans les rues, au-dessus des torrents. Le hurler jusqu'à ce que ma voix s'éteigne. Briser le serment du non-dit auquel tu m'as assignée, comme une punition. Déchirure. Effacement. Je n'ai plus de corps, plus de visage.

Anonyme de ton existence, je m'estompe peu à peu. Mon image devient floue lorsque je me regarde. Parler par ta voix silencieuse. Exister parmi les autres. Écrire à ta place. Écrire pour tous ceux qui ne sont plus. Dépasser notre histoire, l'éclairer de ma lumière. Te tenir à l'écart et pourtant raconter, sans autofiction.

Je ne veux pas te prendre par surprise, te clouer dans un texte, blesser ce à quoi tu tiens tant. Je veux te préserver. Nous raconter en secret. Une phrase peut détruire une vie. Il suffirait, là, que je te livre, que, cessant de te protéger, je te dévoile.

Mon père m'entraînait avec lui dans son labyrinthe amoureux, savant dispositif, course contre le temps, peur d'être surpris au détour d'une rue, même dans une ville étrangère. Il m'a appris que du mensonge pouvait surgir le réel.

Qui peut savoir ce qui se passe dans la pénombre des chambres à coucher ? Sortir d'une étreinte puis en enlacer une autre. Dit-on les mêmes mots ? Fait-on les mêmes gestes ? Combien de « je t'aime », combien de « toujours » ?

Sartre et Beauvoir, Aragon et Elsa, Céline et Lucette ont-ils tout dit dans des journaux intimes ? Ta vérité t'appartient. Je ne la connais pas, puisqu'elle se cache entre les pages de tes cahiers, et que je ne saurai jamais ce que tu y as transcrit. La lumière est tapie dans l'ombre.

J'écris ces lignes. Je viens de te quitter. Tu m'as embrassée et, une fois encore, tu t'es retourné. De ton si beau sourire, tu m'as lancé :

— À vite.

J'ai entendu :

« À vide. »

À vide désormais. Vide de l'air, du ciel qui s'assombrit lorsque, par la fenêtre, je te regarde partir. Je voudrais briser les horloges et voir le temps s'anéantir.

Depuis trois jours, pas un signe de toi, aucun appel. As-tu décidé de rompre ? Je perds le sommeil. Sentinelle, j'attends la sonnerie qui me délivrera. J'écoute dans le noir, au bord d'un précipice, je sursaute au moindre bruit.

Tout s'épaissit. Les heures deviennent des mondes infranchissables. Je n'appelle plus personne de peur de te rater. Tu es parti sans rien dire. Pourquoi me jettes-tu dans ce gouffre ? Je dégringole sans rien pour me retenir. J'ai mal, j'ai froid, j'ai la nausée.

Écrire ton nom. Serait-ce ma délivrance ? Transgresser. Dénoncer le pacte. Pourquoi le redouter ?

Et toi, que crains-tu quand tu t'abandonnes à nous, de laisser le temps t'échapper ? D'omettre de regarder l'heure comme tu le fais constamment ? Veux-tu cesser d'écrire sur moi ?

Les jours s'écoulent hors de ma présence. Je parle. J'agis. Mais ce n'est pas moi qui réponds. C'est l'autre. Celle qui vit hors de toi. Celle qui fait semblant d'exister. Moi je reste emmurée dans l'espace clos où tu m'as laissée.

Je t'attends au long du temps. Debout au bord d'une falaise, je regarde les gens, pensant te reconnaître à tout instant.

L'angoisse d'être séparée de toi me serre la gorge, laissant seulement passer la fumée des cigarettes que je grille sans relâche pour me brûler de l'intérieur. Je me réduis en cendres, me désagrège.

Après une nouvelle nuit blanche, ce matin, une lettre de toi. Je reconnais ton écriture tracée au stylo sur l'enveloppe. Je l'ouvre :

« Toi aussi tu me manques, mais en passant ta porte, je n'avais pas envie de sortir de ta vie, de nous perdre, comme tu disais. Choisir de ne plus être amants pour apaiser les tensions de la vie qui nous affectent tant, chacun à notre manière, ne doit pas pour autant faire de nous des étrangers. L'amour que nous ressentons l'un pour l'autre existe, il est rare, et je continuerai à penser à toi, souvent. Je bénis la Providence de t'avoir approchée, apprise. Tu m'as souvent dit m'avoir parlé plus qu'à tout autre. Je rêve que bientôt, après un moment dans le silence, et la séparation, nous pourrons nous revoir le cœur léger. Comme toi, je reste éberlué de la décision que j'ai prise. Nous saurons, j'en suis sûr, ne pas nous perdre tout à fait. Je contemple ton visage. »

J'ai recopié ta lettre de rupture en prenant soin de tracer chacun de tes mots, pour tenir le chagrin à distance.

Rien n'y fait, je suis éventrée par la brutalité de ta lame. Je voudrais que mon cœur s'arrête, qu'il cesse de battre si fort que je n'entends plus mes cris.

C'est fait, tu l'as décidé, tu me quittes. Tu dessines une ligne de fracture dans ce que tu te refuses à toi-même, avant de me la jeter en pleine face.

Est-ce cela le régime des passions ? Tu me prives, me sanctionnes, par cette décision, t'interdisant la vie, m'enlevant la mienne. Tes mots claquent comme des éclairs déchirant un ciel noir.

« Éberlué. » C'est bien toi qui l'écris. Je reste stupéfaite devant ce mot et ce qu'il trahit des mouvements de ton âme. Le désespoir provoque un dédoublement, je me regarde découvrir la sentence. Je meurs là, sous mes yeux.

Dans *Les Baromètres de l'âme*, Pierre Pachet note :

« On a rarement poussé aussi loin la jouissance douloureuse de se sentir vivre comme un fantôme, comme une vapeur bientôt promise à l'évaporation. »

Il parle du *Cahier vert*, le journal intime de Maurice de Guérin, poète mort à vingt-neuf ans, qui écrivait :

« Qui ne s'est pas surpris à regarder courir sur la campagne l'ombre des nuages d'été ? »

Je ne fais pas autre chose, je regarde courir sur ma feuille l'ombre imaginaire de mes rêves, de mes souvenirs, de toi.

« Flocons épars, sans cesse balayés par le vent. »

J'erre dans la nuit glaciale, traçant des mots semblables aux nuages qui s'amon-cellent, de plus en plus lourds. Et le mot *éberlué* déchire le ciel, fait résonner le tonnerre et me laisse foudroyée.

Non. Je refuse ton départ, je le nie, le dissous. Plus tu voudras me chasser de ta vie, plus je dévasterai ton journal, jusqu'à l'envahir tout à fait.

Mes parents se sont séparés, j'avais quinze ans. Un matin, j'entrai dans leur chambre, ma mère n'était pas là. J'interrogeai mon père :

— Elle est partie. Elle a quitté la maison.

Il prit son manteau et sortit en claquant la porte. Je me laissai tomber sur ce qui fut leur lit comme un boxeur après le combat. Leur vie commune avait duré vingt-quatre ans. Ils avaient connu d'autres histoires, multiples pour mon père, unique pour ma mère, avec un homme également marié, et qui dura une quinzaine d'années.

Jamais je ne leur avais posé de question, mais je savais, et je compris très tôt que faire sa vie d'un amour unique est plus rare que de gagner aux jeux de hasard.

Dans son départ, aussi précipité qu'inattendu, elle quittait ses deux hommes et m'abandonnait sans un mot, pour un troisième qui lui procurait la sensation de rajeunir, de remonter le temps.

Pendant plusieurs jours, j'attendis son appel. Mon frère et ma sœur avaient quitté la maison depuis des mois. Je me retrouvais seule avec mon père, découvrant un inconnu. Il avait consacré sa vie à sa carrière, publié quelques livres, et venait d'entrer à l'Académie française.

Il eut l'élégance de ne pas me montrer sa tristesse. Nous vivions comme dans un camp retranché, nous apprivoisant peu à peu. Le soir, il sortait. Je restais à lire. Je n'avais pas envie d'avoir beaucoup d'amis. Je préférais la solitude.

Le matin, nous prenions le petit déjeuner, comme un vieux couple. Je l'écoutais, l'observais. Avec lui j'appris tant de choses sur les rouages de l'art, les dangers de la beauté, sur la fragilité des êtres.

Il est et restera le regard sous lequel j'écris. Tous les jours, je le voyais noircir des pages. Je m'asseyais dans un grand fauteuil, près de son bureau. Je l'admirais. Il ne tournait pas la tête, faisait mine de ne pas sentir ma présence. En contemplant sa main qui parcourait le papier, j'ai su qu'un jour je ferais comme lui.

Ma mère me manquait. Je me taisais, ne voulant pas alourdir la pudeur silencieuse de sa peine. Je me tuais, devrais-je dire, car la façon dont elle s'était enfuie, laissant tout derrière elle, me fit comprendre que même vos parents peuvent vous abandonner du jour au lendemain, s'en aller, bien avant leur mort. Ma mère s'éteignait dans mon cœur telle une flamme qui s'étouffe.

Pas un mot sur elle n'est venu dans mes livres. Aujourd'hui, lorsque j'écris à son sujet, je voudrais éprouver de la tristesse. La même que celle qui m'étreint devant ta lettre de rupture. Mais rien. Mes yeux restent secs à ce souvenir.

Jusqu'à son départ, elle est la personne que j'ai le plus aimée. Je pensais que notre amour était si grand, indestructible. Cette perte irréparable m'a appris que rien ne dure. Que l'on peut, d'une minute à l'autre, être exilé, rayé, éliminé d'un trait.

Alors que mon père me semblait, jusque-là, insaisissable, c'est avec lui que j'ai pu me reconstruire. Ses départs furtifs annonçaient toujours son retour.

Devant sa légèreté discrète, j'ai mesuré à quel point les mots sont indépendants de l'amour, qu'ils n'ont pas la valeur d'un serment. Encore aujourd'hui, il m'accompagne, je lui parle, nous nous comprenons.

Il faudrait que je cerne l'emplacement où se joue la douleur de l'abandon, pour la défaire, phrase après phrase. Rendre les choses supportables dans l'écriture. Qu'elles ne m'étranglent plus. Ne plus rester sans voix.

Je comprends seulement aujourd'hui que je n'ai jamais accepté son départ. Il m'aura fallu toutes ces années, vivre cette rupture avec toi, pour que mon regard sur ma mère puisse changer, et que mon centre de gravité se déplace.

Découvrir enfin qu'en réalité, ce n'est pas moi qu'elle quittait, et admettre simplement qu'elle était une femme amoureuse.

Dépasser l'illusion sur laquelle j'ai construit ce moi dont il faut maintenant me débarrasser.

Accepter de ne plus en être la victime.

Descendre dans le sanctuaire obscur où l'on est seul juge de soi-même, et laisser entrer la lumière de la vérité par inadvertance.

C'est ça « écrire », et c'est pourquoi, en même temps qu'apparaissent les mots sur le papier, tout en moi les refuse.

Lorsque je regardais mon père noircir ses pages, comme égaré dans des contrées lointaines, je savais que je voudrais un jour faire ce voyage pour le rejoindre. C'était son unique refuge pour échapper à ses femmes, à ses mensonges, pour fuir dans une illusion plus trouble encore, là où rien ni personne ne pouvait le rattraper.

On écrit parce qu'on ne peut pas faire autrement, parce que cet abandon de soi est devenu invivable. Pour alléger le poids des non-dits, qu'on ne peut porter seul. Mais personne ne viendra à mon secours car ce secret est le mien, et il ne peut être partagé.

C'est aussi pour cela que je refuse la rupture. Puisque tu m'interdis de prononcer ton nom, condamnée au silence, j'ai besoin de toi pour écrire à ma place.

Te chercher. Te retrouver. Te garder à n'importe quel prix. T'oublier. Mourir. Le décider. Là. Maintenant.

Je pars te reconquérir. Je m'obstine. Rompre est ta décision, pas la mienne. Ton départ a tout emporté. Tu occupes mes pensées.

Te perdre, c'est arrêter d'écrire puisque tu es tout. Je plonge à ta recherche dans le néant.

Je commence par ta naissance et déroule chaque étape de ton existence. Mon esprit pénètre tes cahiers. Je lis par-dessus ton épaule, penchée sur l'opacité de ta présence.

Je ferme les yeux. Ton écriture apparaît, nette, précise. Tes confessions prennent forme. Tu as quinze ans et entres dans la vie.

Je découvre ta famille, ton éducation, ta carrière, tes aventures, les femmes qui ont compté. Je te vois pleurer, sourire, caresser, étreindre.

Je te contemple du fond de mon lit glacé par ton départ. Je devine ta main qui tremble en tournant les pages. Lis, continue, avance, puisqu'il n'y a personne d'autre que moi.

Réponds. Je t'attends.

En rejetant ta décision de rompre, je t'assigne, te convoque. J'ai la certitude que tu vas revenir. Que tu ne pourras pas te soustraire à ce qui déferle en nous, implacable.

Ressentir le double mouvement de la passion, tout ce qu'on refuse à ses désirs. Plus tu me rejettes, plus je te traque. Je te lance un défi, laissant faire le temps, et même si je parvenais à ne plus penser à toi, je le confierais à ton journal.

Benjamin Constant me sert de guide :

« Vous trouverez parmi mes papiers, je ne sais où, une lettre qui vous est adressée. Brûlez-la sans la lire ; je vous en conjure au nom de notre amour. »

Il demande à son journal de l'aider à oublier, en oubliant à sa place. Comme le note Pierre Pachet :

« L'écriture conserve, elle est le substitut de la mémoire ; et, en même temps, elle enterre parce qu'elle peut dispenser de garder le souvenir vivant en soi. »

Je fais de même avec ta lettre de rupture. Je me convaincs de ne pas l'avoir lue et, au nom de notre amour, je la brûle.

Je froisse la feuille, je la pose dans le cendrier, craque une allumette et regarde la flamme la consumer. Je ne sais plus ce qu'elle contient. Je laisse le feu la réduire en cendres, dédiant ce cérémonial à ton journal, le priant d'oublier à ma place et d'abolir ce qui a eu lieu.

Demain, je le sais, tu m'appelleras comme les autres jours, il ne restera aucune trace.

Tu es l'âme de mes soupirs, tu entres en moi et tout s'effondre. À la première sonnerie, je décroche, c'est toi. Je retrouve le son de ta voix.

Je pourrais peindre ton visage avec des mots, souligner des détails, décrire tes cheveux bruns, tes yeux sombres, dire que tu n'es ni grand ni petit, mais c'est inutile. Tu es pour moi le plus beau au monde.

Tu viens me chercher, je te retrouve tel que tu m'as quittée. L'émotion, le bonheur d'être près de toi, rien n'a changé.

Nous roulons en voiture depuis long-temps. Je t'écoute me dire que la vie est ainsi faite. Que si je veux te garder, je dois accepter tes règles. Recevoir avec grâce et même reconnaissance ce que tu me donnes. Ton temps t'appartient, je dois le recueillir, profiter de chaque instant.

Je te regarde conduire. Je devrais te dire :

— Arrête-toi, dépose-moi là, sur le bas-côté.

Mais j'ai eu si peur de ne plus te revoir que je ferais tout pour rester avec toi, dans ton univers.

C'est en Normandie que je t'ai donné à lire le livre qui t'est dédié, dans cette maison où j'ai passé une partie de mon enfance, et dont je me suis inspirée.

Tu découvres ce lieu en même temps que le roman. J'ai l'impression d'y avoir révélé tant de choses, de t'avoir dépeint de façon si précise, dans ce fantôme qui apparaît et disparaît. L'obstination de sa nièce à vouloir rester près de lui. Son choix de renoncer à la vie pour le rejoindre dans l'au-delà. Je ne sais toujours pas si tu as compris ce que j'ai voulu te dire. Tu ne m'en parles pas.

Nous marchons dans la forêt. Pour moi, la réalité se mêle à la fiction, nous vivons une scène du roman. Ta façon de me prendre dans tes bras, de me parler à l'oreille, tout cela, je l'ai écrit.

Je connaissais la suite. Le retour à Paris, après ces deux jours. Tu vas, une fois encore, me déposer devant chez moi, me regarder de tes yeux perçants et me jurer que tu m'aimes. Et moi, obligée de m'arracher à toi sans rien dire, de descendre et faire un signe de la main, te contempler une dernière fois, pleurer dans la cour, rentrer et prendre mon stylo.

Marcher entre les tombes, c'est là que j'oublie l'abandon. Dans les allées qui me mènent au caveau où les noms de ceux que j'aime sont inscrits. Attendre sans rien faire, la tête vide. Anéantir ton image bien avant de mourir. Ne plus penser à toi accroché à mon cœur. Tu es l'absent de mes jours, le brouillard qui m'aveugle.

Fumée blanchâtre. Air Liquide dégage une odeur âcre. Les kilomètres défilent et m'emmènent vers l'Est de la France, à Villersexel, petit village isolé dans la vallée du Doubs.

Je vais dire adieu à la femme qui m'a élevée. Ma Nannie s'éteint à quatre-vingt-seize ans. Elle est arrivée dans notre famille en 1952. Je suis née en 1959. Je lui dois mes premiers souvenirs d'enfance.

Chaque fois que j'ouvrais les yeux, je découvrais son visage. Son regard si bleu, si droit, me montrait le chemin. Ma mère était souvent ailleurs. C'est elle qui veillait sur mes nuits, m'accompagnait le jour. Nous allions aux Champs-Élysées voir le théâtre de Guignol, monter sur les chevaux de bois.

Elle m'apprenait à lire et surveillait mes devoirs. Lorsque d'affreux cauchemars me réveillaient en sursaut, j'allais me réfugier dans son lit. Auprès d'elle, rien ne pouvait m'arriver.

Son destin était de s'occuper des enfants des autres. Elle n'avait connu qu'un homme, un jeune séminariste qui, pour vivre leur histoire d'amour, renonça à Dieu.

Après quelques mois, il fut mobilisé et partit pour la guerre d'Indochine. La veille de son départ, ils partagèrent leur unique nuit. Pendant deux ans, ils se sont envoyé des lettres quotidiennement. Puis, l'heure du retour tant espéré finit par arriver. L'avion qui le ramenait sombra dans l'océan.

Elle m'a raconté cette histoire, je devais avoir quinze ans. Je l'interrogeais sur la photo en noir et blanc, jaunie par le temps, qui ne quittait jamais sa table de nuit, et sur cette médaille de guerre déposée sur son cadre d'argent.

J'appris qu'après lui elle n'aima plus aucun homme et que chaque jour, elle y pensait.

Puis, se dirigeant vers son placard, elle sortit trois grands cartons à chapeaux. À l'intérieur, des dizaines d'enveloppes, serrées par des rubans multicolores.

— Tu vois, me dit-elle, ce sont les lettres de Richard. Promets-moi, le jour de ma mort, de les brûler sans les lire.

Je promis.

Je fais aujourd'hui cette longue route pour jeter ses lettres au feu, pour que son histoire d'amour soit oubliée à jamais. Tenir parole. Les détruire sans les avoir lues. Brûler sa vie.

Dans un coin du jardin, derrière sa maison de pierre, je contemple les flammes qui s'élèvent vers le ciel. Le papier se consume et retombe sur la terre. Je recueille les lambeaux de poussière.

Demain, je disperserai les cendres au bord de l'étang, là où ils échangèrent leurs premiers serments.

N'avoir qu'un amour. Ne s'attacher qu'à un être. Faire profession de foi. Ne jamais trahir sa promesse et se donner jusqu'à son dernier souffle. Je sens son regard bleu posé sur ce moment de ma vie qui m'entraîne dans la passion.

Mouvement contradictoire, semblable à celui d'un journal intime. D'un côté, l'envie de laisser une empreinte, de la mettre dans la lumière. De l'autre, tout dissimuler, tout ensevelir. Tension électrique dissonante alternant sans répit entre le positif et le négatif.

Que fait-on de son corps, de ses désirs, de l'envie inassouvie de l'autre ? Vouloir à tout prix et en même temps s'interdire ce que l'on cherche.

Je suis captive de cette prison où, jour après jour, tu as séquestré mon âme.

J'essaie de reconstituer l'origine mystérieuse de cet enlèvement, de comprendre ma résignation, d'en sortir, s'il en est encore temps. Appeler au secours, mais à qui demander de l'aide ? Aidez-moi, empêchez-moi de disparaître ! Mais personne n'y peut rien, je suis seule, face à toi.

S'en remettre à l'écriture comme on croit en Dieu. Capituler. C'est peut-être là, au cœur des mots, qu'un rai de lumière filtrera sous la porte et me délivrera.

Jusqu'à toi, je fuyais toute forme de dépendance. La peur de l'abandon prenait l'apparence de monstres qui hantaient mes cauchemars. Je m'imaginais, délaissée sur un banc, sans repères, dans des forêts profondes, des maisons en ruine.

Combien de fois, la nuit, pendant mon sommeil, je composai des numéros sur un téléphone à cadran, mais personne ne décrochait. J'attendais le moindre signe au long de sonneries interminables et c'est le bruit strident du vide qui me réveillait.

Maintenant, c'est toi que j'attends, c'est toi que j'espère. Aujourd'hui encore, je te verrai quelques minutes, entre deux portes, entre deux vies. Puis tu repartiras. Ce sera ainsi jusqu'à ma délivrance, jusqu'au jour où, sur ma feuille, j'écrirai le mot fin.

S'armer, reprendre le combat, résister à l'attraction du silence. Encercler l'intime du journal. Savoir ce que tu penses. Connaître ton autre vie.

Les mémoires de Casanova, les souvenirs d'alcôve de Stendhal, la comptabilité que tient Leporello pour Don Giovanni dans l'opéra de Mozart : « In Ispania son già mille e tre. » Moi aussi, compter…

Le soir, avant de te coucher, déroules-tu tes rencontres amoureuses, tes bonnes ou mauvaises fortunes ? Tu ne serais pas le premier. Même Stendhal, adepte du secret, ne peut s'empêcher de parler des femmes qu'il a possédées. Engagé dans cette guerre où s'exprime la violence du langage, où la puissance des mots se mêle à leur délicatesse.

Là, tout est permis, toute ruse bienvenue. Le journal intime avance masqué, alternant la clandestinité et le dévoilement, l'alibi et le mensonge. Il s'écrit contre celui qui, un jour, le débusquera.

Les cahiers intimes de Stendhal commencent à Milan, le 18 avril 1801 :

« J'entreprends d'écrire l'histoire de ma vie, jour après jour. Je ne sais si j'aurai la force de remplir ce projet. »

Je ressens l'épuisement, qui me gagne à chaque phrase. Quelle force me pousse à continuer ? Je me pose inlassablement la question.

Mon écriture est suspendue à ton sourire, à tes appels, et à cette décision que je repousse sans cesse : interrompre. En serai-je capable ?

Supposons que tu parviennes à m'anéantir et que, finalement, je ne brûle pas ces pages. Qui les lira ? Et toi, comprendras-tu ce que je veux te dire ? Entendras-tu ma voix qui te supplie de revenir ? Sauras-tu qui je suis ? Ce que tu es pour moi.

Tous les chemins qu'il aura fallu emprunter pour t'accompagner, te retenir lorsque la nuit tombe. Rester là, contre toi, blottie dans tes confidences.

Aujourd'hui, rien.

Je fais corps avec le vide. J'aspire au néant, je plonge dans la faille qui morcelle mon passé.

J'imagine.

Si je publie ce petit bréviaire à ton intention, si je le sors de l'anonymat, l'exposant aux yeux de tous, quelles questions se poseront-ils ?

Une seule sans doute : qui es-tu ? À qui ce livre est-il dédié ? Est-ce un texte sur la passion amoureuse ? T'ai-je fabriqué de toutes pièces, créant une figure d'absent universel, celui qui trouve un écho dans le cœur de toutes les femmes ? Elles connaissent si bien cette situation. Le manque insoutenable.

Existes-tu vraiment ? Moi-même, je m'interroge. Tu te caches tout en te montrant avec moi, pourquoi, à mon tour, n'écrirais-je pas ton nom ?

J'ai sept ans. C'est mon anniversaire. Je reçois en cadeau un petit bureau de poste. Le guichet de carton se déplie. Je m'installe derrière. Il y a des enveloppes, des timbres, une éponge et un tampon pour oblitérer le courrier.

Je commençai une correspondance avec un destinataire imaginaire. J'inventai son nom, une adresse, lui écrivais de longues lettres dans lesquelles je racontais ma vie. Je lui donnai un visage. Je finis par me persuader qu'il existait.

Je postais ces lettres sur le chemin de l'école, certaine qu'un jour il me répondrait. Je crois qu'il ne l'a pas fait.

Tu es semblable à cet amour d'enfance. Je ne sais plus si tu existes. Quelquefois, je suis sûre de te voir. J'ouvre ma porte et tu es là. Mais il suffit que je ferme les yeux pour que tu t'envoles.

Le printemps s'installe. Les jours rallongent. Hier soir, tu es venu. Nous sommes restés l'un contre l'autre. Je me suis assoupie. À mon réveil, tu n'étais plus là.

Tu m'appelles plus souvent, m'envoies des messages, tu fais le plein par le vide, créant l'illusion de l'amour. Je vis avec toi, mais ton corps est ailleurs. Mon fiancé mystérieux, je marche, et ta silhouette invisible s'attache à mes pas.

Toujours présent dans mon esprit, tu ne réponds pas à mes questions, seule ta voix sourde résonne dans mon imaginaire.

Lorsque tu apparais, je me persuade que tu vas rester, que la force de mes sentiments fera exploser les horloges, effaçant le temps de la surface du monde. Plus de minutes, de secondes, juste nous deux.

Mariée à ton absence, j'ai serti d'un anneau le doigt d'un spectre. Chaque jour, à la même heure, celle de ton journal, j'écris pour toi. Je te devine face au vampire de papier qui exige et dévore chaque fragment de ta vie, la réduisant à une peau de chagrin. Tu racontes notre histoire, je ferme les yeux.

Raphaël de Valentin, le héros de Balzac, achète une peau ensorcelée accompagnée de cette phrase :

« Si tu me possèdes, tu possèderas tout, mais ta vie m'appartiendra. Chaque désir exaucé fera diminuer la taille de cette peau. »

Réaliser ses désirs peut être fatal. Il faut constamment éloigner de soi l'objet de ses vœux. Vivre, comme Phèdre, dans la crainte de croiser celui qui vous entraînera vers l'abîme.

Et si l'enjeu était de mesurer, jour après jour, le rétrécissement du salut de notre âme ? Tel Faust, qui voit se rapprocher l'heure où il lui faudra payer le prix de son pacte.

Puisque la passion n'est possible que dans le refus, l'objet aimé finit par devenir irréel, entraînant l'amour dans la folie. Je veux être cet objet perdu, me retirer du monde, disparaître aux yeux des autres, pour devenir celle que tu te refuses.

Te retrouver dans les vestiges de mon enfance, réveiller les souvenirs. M'arrêter à nouveau au coin de la rue Robert-Étienne, à la sortie de l'école. Mettre une pièce dans le distributeur de jouets. Faire tourner la manette argentée.

Entendre le déclic, saisir la petite boîte en carton. À l'intérieur, découvrir les bijoux de pacotille. Laisser le hasard m'offrir cette bague avec un cœur de verre rouge.

Passer l'anneau à mon doigt et jurer de ne l'enlever que le jour de mes fiançailles, quand je serai grande et que j'aurai rencontré celui qui n'a pas encore de nom.

Quelques jours plus tard, le cœur s'est détaché. L'avais-tu déjà volé ? Alors, à toi de me le rendre. Ajoute une dague, un poignard pour le transpercer.

Voilà le « privilège » que j'attends de ton journal, à la manière de ceux que Stendhal s'accorde en cachette pour soulager ses derniers jours.

Je te jette un sortilège : un lien établi à distance, un pont invisible entre nos pages. Je dessine dans l'air la bague de mes rêves. Retrouver le même pincement de désir que celui que j'avais perdu. J'attends ce petit cœur rouge comme une preuve tangible de notre amour.

Baisser la garde, déposer les armes. Il faudrait que cela s'arrête, mais je ne suis pas au bout. La souffrance devient toujours plus aiguë, plus intense, et m'entraîne vers une issue plus sombre encore.

Tu avances comme un tueur à gages qui voit se refléter la mort dans les yeux de sa victime. Tu traînes mon corps au bord d'un précipice qui m'aspire.

Dire non, s'opposer au risque de te voir partir à jamais. Ma vie ne vaut plus rien puisque tu peux jouer avec, la balancer au-dessus du brasier. Tu me retiens d'une main, je sens ton étreinte se desserrer, et moi rétrécir.

Je suis dans un tunnel, le jour tombe et m'entraîne dans sa chute. Derrière mes lèvres closes, je crie au secours, mais personne ne m'entend.

Écrire moi aussi à heures fixes, pour qu'à travers mon journal apparaisse le tien. Voir ta main courir sur le cahier, deviner les mots de tes confessions chuchotées, comment tu parles de moi :

« J'ai aimé notre thé à la Tchekhov sous les platanes et nos émotions heureuses. J'ai aimé partager avec elle cette douceur de l'air retrouvée. J'ai aimé sa voix. Nous n'aurons pas longtemps avant de nous revoir. J'ai aimé son sourire. Notre histoire entre dans son second printemps. »

« Pas longtemps avant de nous revoir » ! Une heure. Un jour. Une semaine. Chaque minute loin de toi creuse la terre.

Tout se déforme lentement, j'essaie de rassembler mes souvenirs, mais ton image se superpose, me dévastant sur son passage. Des orties, des plantes carnivores envahissent ma mémoire, et la plongent dans le noir.

Où es-tu ? Il fait nuit. Je classe, range, trie des photographies, m'efforçant de retrouver des visages ensevelis, des traces d'amours anciennes.

Premier baiser, l'année de mes quinze ans, échangé avec un homme de trente ans mon aîné, dans une loge de la Comédie-Française.

Cette relation secrète dura trois ans. Je me faufilais la nuit le long de la rue de Rivoli pour le rejoindre. Trois ans à l'aimer, à nous cacher dans des recoins à l'abri des regards.

Déjà vouée à la clandestinité. Tu ressembles à cet amour-là. Je mentais, m'inventais des cours particuliers, des révisions. Je courais le retrouver. La peur d'être découverts ne nous quittait jamais.

Aujourd'hui, je subis la même censure. Je t'écris ce journal en forme de roman, reçois-le comme un défi. Je provoque l'obscur en duel. Rendez-vous en plein champ, dans une lumière radieuse. Ton jour et ton heure seront les miens.

Avouer. Oser prononcer ce qui ne se fait pas. La vérité des amants est en fuite, elle prend le large au gré des années.

En dire plus, peut-être. Mais le couple est le seuil critique de la transparence. Sur lui se referment les mythologies, les hypocrisies, les travestissements.

Alors, finalement, en dire un peu moins. Retrancher même ce qu'il conviendrait de dire. Tout retenir.

Lorsque l'on ne s'appartient plus, c'est à l'autre de parler, de raconter. À toi de le faire puisque tu détiens ma vie.

Ce serait si facile. Laisser filer le stylo. Semer quelques lettres. Les laisser former un nom, un prénom. Mais ça ne se fait pas, ça ne se dit pas. Même les plus corrompus gardent les lèvres closes.

Que reste-t-il de nos amours ? L'incapacité d'aimer. Tu te dédoubles. Tu cloisonnes si bien les choses. Il y a celui qui agit et celui qui se regarde agir. C'est ainsi que tu te définis toi-même.

Cette mise à distance te rend-elle invincible, invisible à nous ? Tu m'aimes dans l'ombre. Et quand, parfois, certains pourraient nous apercevoir, cet autre toi qui nous regarde efface notre image.

Parles-tu de moi ? Comment ? Dans quelle langue étrangère racontes-tu notre histoire ? Et lorsque tu écris, es-tu celui qui agit ? Es-tu l'autre ? Ou le troisième ? Le mystérieux, l'étranger à toute chose ?

M'as-tu évoquée, ne serait-ce qu'une fois ? As-tu seulement prononcé mon nom ? Reconnaîtras-tu un jour que ce livre t'est consacré, que c'est bien toi dont je parle ? Et moi qui t'ai si bien caché. Oseras-tu dire : « Vous savez, ce journal intime, ce roman, c'est le mien » ? Et si quelqu'un t'en parle, prétendras-tu ne pas l'avoir lu ?

Tout se dire. Comme Sartre et Beauvoir. Établir une complicité au-delà du mariage. Conclure à deux un pacte littéraire. Ils s'étaient juré de partager une liberté commune, comme d'autres se promettent fidélité.

Ils regardaient danser autour d'eux la ronde des amants, des maîtresses. Côte à côte, ils échangeaient leurs partitions. Lui, pervers, complexe, elle, indépendante, romantique.

Mon père me les avait appris, ces jeux du mensonge. Nous partions en voyage vers des lieux dédiés aux rituels amoureux. Il y avait toujours une femme dans le train et une autre sur le quai.

Arrivé à destination, il entraînait sa compagne à la recherche de quelque objet ou bijou. Il lui en offrait un premier, et un second était acheté en cachette pour l'autre, afin de lui prouver combien elle lui avait manqué.

Parfois le spectre de la jalousie le tenait prisonnier de son accompagnatrice et l'empêchait de choisir le second cadeau. Je partais en mission, connectée à son cerveau. Je choisissais à sa place, courant les boutiques, me glissant dans son regard.

J'ai fini par être si bien entraînée à cet exercice que c'est devenu la vie parallèle d'un autre moi. Je gardais en mémoire tout ce dont il n'arrivait plus à se souvenir : le film vu la veille avec l'une, le restaurant où il avait dîné avec une autre, lui évitant de se confondre lui-même, de se heurter à son propre mensonge avec son air d'enfant pris en flagrant délit.

Les livres lus, pas lus, prêtés. Toutes les choses qu'il fallait enregistrer : les dates, les provenances, l'occasion pour laquelle il les avait offerts. Était-il seul ou accompagné ?

La moindre erreur pouvait lui être fatale et provoquer des drames. Lorsque j'arrivais chez lui, je découvrais souvent l'une d'elles attendant sur le seuil. Elle m'assaillait de questions auxquelles je devais répondre d'un ton léger. Il fallait qu'aucun détail ne m'échappe, ne le livre au grand jour des illusions perdues. À ses mensonges incessants.

J'étais si imprégnée par lui, par ses névroses, que jamais je ne l'ai trahi.

Sartre et Beauvoir rêvaient d'un homme nouveau, libéré de ses entraves et de ses mesquineries. Ils étaient persuadés que l'amour devait se débarrasser de l'idée de possession. Ils voulaient vivre sans temps mort, dépasser la monotonie. Inventer leur couple au fur et à mesure. Que rien n'entame leur liberté, pas même les lois qui régissent la passion.

Ils ne se cachaient rien, devenaient les meilleurs amis de leurs amants respectifs, les échangeant parfois. Ce pacte était scellé sous le signe d'une relation unique et absolue. Vivre en écrivains. Faire de leur vie un roman.

Mais les lettres remontèrent de l'abîme, ondoyantes, remplies de petits mensonges, de semi-vérités. Secrets d'outre-tombe.

La véritable transparence gît au fond de l'opacité, là où les mots viennent à mourir. Elle se reflète dans l'épuisement, tel celui qui étreint Kafka, le 27 décembre 1910 :

« Je n'ai plus assez de force pour faire une phrase. Si encore il s'agissait des mots. S'il suffisait de jeter un mot sur le papier, et qu'on pût s'en détourner dans la calme certitude d'avoir entièrement empli ce mot de soi-même. »

Ce mot, *toi*, il faudrait que je le jette, qu'il dégringole, et que j'atteigne, moi aussi, cette calme certitude pour l'avoir comblé de ma propre existence.

Telle est la limite qui rend toute liberté illusoire. Ce besoin irrépressible d'appartenir à l'autre, d'être dépossédé de soi, et de ne pouvoir renaître que dans sa syntaxe.

Je vis à l'intérieur d'un cercle immobile, où toute mémoire se dissout. Je traverse la zone aride où l'écriture est suspendue.

Plus rien ne vient, pas une idée, pas une scène, pas le moindre fragment de dialogue. Un nom, le tien, se referme sur notre rencontre. Je me tais.

Tant que je me tiens au centre, rien ne peut advenir, pas même moi, surtout pas moi. Attendre qu'un autre me voie et me fasse exister.

Je demeure dans ton nom, esclave de ce cercle.

Ce soir, une lettre de toi :

« Il est plus tard que de coutume pour t'écrire, avant que je fasse mes bagages. Les dernières journées d'avant départ sont vengeresses. Heureusement, nous nous verrons bientôt. M'éloigner est le signe d'un rapprochement futur. Je comprends ton chagrin et je regrette de provoquer de la tristesse par instants, moi qui désire pourtant ton bonheur. Il ne faut pas de malentendu. Ce n'est pas toujours possible de l'éviter. Mais nous savons que les mots sont là pour nous redonner de la douceur. En tout cas, je penserai à toi, et t'emporterai dans ma tête et dans mon cœur. »

M'emporter. Dis-tu. Dans ta tête. C'est ça ? Dans ton cœur. Et cela te suffit. Mais qui es-tu ? Insensible à mes larmes, tu voyages avec, dans tes valises, ma douleur tout entière.

Publier tes lettres.

Il n'y a pas de vérité des sentiments. C'est une matière fluide qui glisse entre les doigts. Du mercure brûlant, impossible à saisir.

Dès lors qu'il devient sincère, celui qui se raconte hésite, transforme, varie, change perpétuellement, et puis plus rien ne sort. La page reste blanche. Figée.

Il faudrait que l'objet du désir se fracasse au lieu de se replier. Il faudrait que dès que je pense à toi, la passion qui m'emporte, fuyante et instable, s'évapore avec ton fantôme.

Mais seule mon âme survit. Je voudrais l'enfermer, la protéger. Je sais ce qui la retient et m'empêche de partir.

Ce journal intime est le roman de ma vie secrète, de ma vie privée, privée de vie car tu me l'as prise. Tu t'en es emparé, tyrannique, tu as fait de moi une autre que je ne reconnais pas, que je ne veux pas connaître. Je te laisse l'être incertain que je suis devenue sous ton regard.

Je voudrais qu'elle n'existe que pour toi, pourrait-il, d'ailleurs, en être autrement ?

Là où tu es, il fait chaud. Ici, le froid me transperce. Je reste allongée et je relis ta lettre. Hier soir, tu m'as raconté la douceur des paysages, l'odeur des jasmins, des lauriers-roses. Tu survoles les mers qui nous séparent.

Voilà mon cœur : c'est là que ta main doit frapper.
Impatient déjà d'expier son offense,
Au-devant de ton bras je le sens qui s'avance,
Frappe : ou si tu le crois indigne de tes coups,

Si ta haine m'envie un supplice si doux,
Ou si d'un sang trop vil ta main serait
trempée,
Au défaut de ton bras prête-moi ton épée ;
Donne.

Je ferme les yeux, reprends mon souffle. J'avance sur le proscenium. Le jury parle à voix basse. Je viens de passer l'examen d'entrée au conservatoire de la rue Blanche.

La beauté des vers de Racine me donne le vertige. Tout mon corps a tremblé. Je ne sais pas encore ce qu'est la passion. Je la pressens, je ne la découvrirai qu'avec toi.

Le lendemain, mon nom est affiché au tableau. J'entre pour deux ans dans la classe de Michel Favory. C'était il y a si longtemps. Seule l'image floue de quelques personnages me revient : Colomba, Angélique, Agnès, Marianne, mon passé s'éloigne, même le plus proche.

Rien ne subsiste, sauf l'envie de te voir, de toucher ton visage. Mais tu en as décidé autrement. Ce soir, c'est à moi que j'écris et que je dédie ces mots.

Vers la fin du XVIIIe siècle, apparaît l'idée de s'adresser à soi par le biais d'une lettre, de coucher sur le papier des confidences comme le fait Diderot, lorsqu'il comprend que ses missives à Sophie Volland forment le journal intime dont il a toujours rêvé :

« Personne ne s'étudiera soi-même, n'aura le courage de nous tenir un registre exact de toutes les pensées de son esprit, de tous les mouvements de son cœur, de toutes ses peines, de tous ses plaisirs. Mais il faudrait bien du courage pour ne rien sceller. »

À la même époque, Diderot s'interroge sur le théâtre. Il s'oppose à ceux qui pensent que l'acteur, pour exprimer la passion, doit l'avoir traversée.

Paradoxe du comédien qui, pour ressentir, doit d'abord éteindre en soi tout sentiment. Prendre de la distance, ne plus éprouver, laisser le scalpel de la pensée découper le flux brûlant des passions, et ensuite seulement reproduire l'émotion.

C'est alors que Magdalena van Schinne entreprend de s'écrire à elle-même :

« Mon papier, tu seras désormais l'unique dépositaire de mes idées, de mes sentiments, de mes peines et de mon bonheur. Ici, je pourrai épandre mon âme tout entière, toi seul seras mon confident. »

Lettre en circuit fermé. Lettre close. Littérature du secret. Quelque chose est en train de naître : échapper au spectacle, au collectif, et se retrancher dans la solitude.

Je regarde l'heure. Tu dois déjà dormir. Je remonte la couverture et me recroqueville, cherchant à apaiser la douleur. D'où vient cette inertie en moi, qui me pousse à me taire plutôt que de hurler ? Fragment oublié de la petite fille qui sommeille, immobile, obéissante, attendant ton retour.

Attendre encore et toujours. Laisser advenir le mystère de ces objets convoités, qui n'apparaissent jamais quand on les cherche, mais tout à coup, lorsqu'on n'espère plus rien. Comme s'ils détenaient le pouvoir de décider du lieu et du moment de leur surgissement.

Lettre volée, posée là, si évidente que personne ne la voit.

Je me retourne, cherche une position, pour alléger mon cœur. Ma main ne te trouve pas. Tends-moi la tienne à travers les parois du néant.

Qu'y a-t-il dans les plis du drap ? J'allume. Une date. Ton nom sur le rabat. Tout ce que j'ai tant désiré connaître est là, sous mes yeux. Une année de ton journal intime. L'ouvrir ?

D'un simple mouvement de la main, soulever la couverture, tourner les pages, oser t'affronter, savoir la vérité. Me trouver face à l'impossible. Arrêter de douter.

Cesser d'imaginer qu'un jour tout pourra être révélé. Apprendre qui tu es vraiment. Te suivre, jour après jour, partager tes ardeurs. Lire tes tiraillements ou, au contraire, tes certitudes.

Faire exploser l'image de tes autres amours. Pleurer. Ne plus retrouver le souffle. Te faire mourir en découvrant ta vie, celle qui m'échappe.

Ne pas ouvrir. Rester à ma place. Croire en toi comme en un dieu. Construire notre histoire en dehors des marges, des lignes toutes tracées. Continuer de rêver à tes apparitions, toi qui es là sous mes yeux.

Est-ce une négligence ? Ou un piège pour raviver mes brûlures, m'assigner à l'impossible ?

La réalité devient mon ennemie. Je saisis ton journal, ta vie est là, à ma portée. Mes pensées sombrent. Une sensation de lourdeur dans les doigts me paralyse, comme si le contact du papier pouvait m'empoisonner.

Je repose le cahier sur le lit sans l'ouvrir. Me dirige vers la bibliothèque comme dans un rêve. J'attrape sur les rayonnages *Un Carpaccio en Dordogne*, premier recueil de nouvelles publié par mon père, en 1964.

Je relis la dédicace : « Pour toi, princesse. Ton Lancelot du Lac. » Ma mère me l'avait remis quand j'avais douze ans. Je commençai la lecture. Une des histoires, intitulée *Du cuir en juin*, avait été soigneusement épinglée par elle, cadenassant le sexe, le murant désormais dans mes livres.

Jamais je n'ai dégrafé ces pages. Jamais je n'ai lu cette nouvelle. Aurais-je dû, comme n'importe quel enfant, me précipiter, transgresser l'interdit ? J'en suis incapable. Comme si une parole donnée avait la valeur d'un sacre, d'un couronnement.

Reine de l'invisible au royaume du silence, j'attends que ce soit toi qui me libères, qui me lises ce texte.

De quoi ai-je si peur ? De quel châtiment ? Si Rousseau redoutait les corrections de mademoiselle Lambercier « plus que la mort », que pourrais-je apprendre dans cette nouvelle, qui me saisirait au point de suffoquer ?

À l'âge où le petit Jean-Jacques trouvait le plaisir dans la punition, je le découvrais dans l'obéissance. Me soumettre à ta vie, telle que je la devine. Mais je ne veux pas être punie. L'imaginaire restera mon maître, c'est à lui seul que je veux obéir.

Le réel est la sentence à laquelle je veux me soustraire.

J'avance dans la lecture des *Confessions* de Jean-Jacques Rousseau :

« … Il fallait toute ma douceur natu-
relle pour m'empêcher de chercher le
retour du même traitement en le méritant,
car j'avais trouvé dans la douleur, dans
la honte même, un mélange de sensualité
qui m'avait laissé plus de désir que de
crainte… »

Voilà, c'est ça. C'est précisément le seuil
en deçà duquel je me suis toujours tenue. Je
n'ai jamais eu l'idée, ne serait-ce qu'une
fois, de retirer les épingles, de transgresser,
de lire ce qui m'était interdit.

Je ne connais pas la honte. J'ai la jalousie
en horreur. J'ai toujours refusé ce rapport
pervers à la souffrance. J'aime ces pages
non lues, je soumets mon désir à une stricte
obéissance.

Je laisse mourir en moi tout ce qui
pourrait se transformer en colère ou en
révolte. Ces mouvements de l'âme dans
lesquels je ne me reconnais pas, et qui
résonnent en moi comme une intrusion.

Que trouverais-je dans ton journal ? Quelques piètres aveux, quelque petite culpabilité, les méandres de tes trahisons ? Un sentiment de chute inexorable.

Ne pas lire. Jamais. Ne pas me résoudre à une vérité nécessairement décevante.

Je te rapporterai ce cahier sans l'avoir ouvert.

Il est rentré de voyage, mais il repartira. Je le reverrai, puis il s'en ira. Nous aurons une heure ou deux, çà et là. Quelques jours volés à sa vie. Un verre. Une cigarette.

Le recours en grâce a été rejeté. Rester debout. Avancer dans le couloir sinistre. Voir défiler sa vie. Cela fait deux ans aujourd'hui qu'il m'a arrachée au sommeil :

— Réveille-toi, Cendrillon, je suis le Prince charmant. Bien sûr, je suis très occupé. Bien sûr, je ne suis pas libre. Mais le temps qu'il me reste, je te l'offre. Je saurai te dire tout ce que tu veux entendre. Je te donnerai l'illusion de vivre.

Écrire ce que je suis en train d'écrire. Il faut rétablir l'ordre des choses. Continuer de raconter notre histoire, ne pas sombrer complètement.

Arrêter de croire que lui seul détient ma vie et décide de mon sort. Je commence à entrevoir ce qui s'est passé, comme un fil que je pourrais saisir dans le labyrinthe.

Si j'ai la force de ne pas le lâcher, peut-être remonterai-je à la surface. Cette rencontre n'est pas fortuite. J'avais mal, mais je me taisais. Il a su attraper ma souffrance et l'enraciner.

Je sortais de ma geôle pour entrer dans la sienne. Il a comblé mes creux par ses mots, éclairant de ses désirs le souterrain où je m'étais égarée.

Arrivant, repartant avec la régularité d'un métronome, il me donnait juste ce qu'il faut d'oxygène pour que je ne meure pas tout à fait. Mais pas assez pour me sauver.

De quoi ai-je eu peur en trouvant ce cahier ? De découvrir la place qui était la mienne ?

Je m'endors loin de lui. Ma mère m'apparaît derrière une vitre, assise à une table, elle lit. Je frappe au carreau. Elle ne relève pas la tête. Je cogne sur le verre de plus en plus fort. Mais elle ne m'entend pas.

La vitre explose, projetant ses débris autour de moi. Je regarde mes mains maculées de sang. Ma mère a disparu.

On ne retrouve jamais ceux qui sont partis. On ne peut obliger personne à nous aimer.

Ce matin, une nouvelle lettre de lui :

« Ma douce, ne sois pas triste. Il en est ainsi. Dans une autre phase, un autre contexte, nous aurions pu connaître une situation plus facile. Mais ce réel qui nous bride est aussi celui qui nous a permis de nous rencontrer, de nous aimer. Toi et moi devons en remercier le destin. »

Remercier, mais qui ? Le saint des esseulés ? Celui qui me console, le soir, quand je me couche ? Celui qui me sourit, le matin, lorsque je me lève et que je compte les jours.

Je bénis son absence, elle me permet de me découvrir dans l'abîme où je poursuis ce journal. Dans cette chute, je me livre au papier. Ces feuilles sont des parachutes qui se gonflent, m'empêchant de succomber. Si tout va bien, lorsque mon pied touchera terre, je serai sauvée.

Deux ans déjà. Il s'est glissé dans mes coupures. Il a réchauffé mes plaies. Il m'a dit les mots que je voulais entendre. J'ai plongé dans ses sortilèges, bu chacune de ses paroles, transcendé chacun de ses gestes, abandonné tout ce qui n'était pas lui, écarté tout ce qui pouvait brouiller son image. Comme si ne pas penser à lui, ne serait-ce qu'une seconde, c'était prendre le risque qu'il me quitte à jamais.

Je l'ai accroché dans mon esprit, dans mon être tout entier, plus un centimètre de moi qui ne lui appartenait.

La peur de perdre son absence, car c'est ça que je détiens, que je possède : son absence est à moi.

Arrêter de me heurter à ses inflexions de marbre. C'est par mon propre journal que je viendrai à bout de lui. Déjà mes mots l'estompent et il se confond avec la trame du papier.

Je le recycle, l'enterre dans ce texte. La couverture de carton sera notre cercueil. Le secret reposera dans ces pages.

Il faut que je le laisse, car il ne m'aime pas assez pour que je cesse d'écrire. Je le rends à son bonheur tranquille, à sa douce quiétude.

Je n'attendrai plus son appel du matin. Je n'espèrerai plus celui du soir. Je ne m'en remettrai plus à son agenda.

« Prends ton carnet », me disait-il d'un air solennel, comme on donne des rendez-vous d'affaires. Mes semaines étaient suspendues à ses libertés.

Je ne lui volerai plus de temps, plus de serments, plus de mots d'amour. Il pourra ainsi ajouter quelques notes à son journal. Il repartira chasser sur d'autres terres. Il rentrera chez lui, repu, se glissera dans les draps avec le sentiment d'être libre. Il fermera les yeux sur nos souvenirs.

Dans le bouquet de fleurs qu'il m'envoie ce matin, je glisse son cahier noir, et les lui retourne tous les deux.

Le livreur a l'air surpris de se voir ainsi refuser ses roses rouges. « Que dois-je dire ? », me demande-t-il l'air navré. Je referme la porte sur cette question.

Nous ne sèmerons aucune plante, aucun arbre. Nous ne verrons rien pousser. Souvent il me disait : « Raconte-moi ce que tu vis. Comme cela nous partagerons tout. »

J'écoute le chant des merles. C'est le début du printemps. Les entend-il par la fenêtre de sa chambre ? Moi, je n'entends plus rien. Même sa voix s'éloigne lorsque je pense à lui.

J'ai peur de mourir de chagrin. Je suis restée toute la journée allongée sur mon lit. J'ai peur de le quitter en terminant ce livre. Si jamais j'arrêtais d'écrire…

Je serais semblable aux images post-mortem posées sur mon bureau. Je finissais le texte qui accompagnait ces photographies au moment où mon père s'est éteint. Il ne l'aura pas lu. Les trois jours où je veillai son corps, avant l'enterrement, j'avais dans ma poche un appareil jetable. Dix fois, je me suis surprise à vouloir saisir son image défunte, pour garder près de moi son visage endormi.

Quelque chose m'en a empêchée. J'aurais emporté de lui un instant volé. Mais il reste gravé au fond de ma mémoire, si beau, allongé sur son lit, vêtu de son costume sombre, sa grand-croix lui barrant la poitrine.

Je le garderai lui aussi, comme mon père, enseveli dans mes regrets éternels. Aucune image de nous n'existera jamais.

Dans le silence de l'aube, je reprends mon journal, après une nuit d'insomnie, traversée en eaux troubles.

Tout à l'heure, une lettre arrivera, je le sais. Elle protestera, proposera de recommencer, autrement, d'accorder grâce à une passion toujours vivante.

Il aura raison, elle l'est. Ce n'est pas lui que je quitte, c'est ce qu'il me refuse : les sensations qui accompagnent ses départs, lorsqu'il raccroche, les larmes qui montent.

Je quitte celle que je suis devenue. Je lui laisse ce que je ne veux plus vivre. La violence avec laquelle son image s'efface me frappe aussi soudainement qu'un coup de foudre.

Mon journal n'a plus de sens, et pourtant je reste suspendue à mes lignes.

Sa lettre est bien arrivée. Je lis l'écriture fine des mots qui s'enchaînent :

« Ma douce. Si, effectivement, pour toi être libre, c'est pouvoir se voir comme l'on aimerait, je comprends que tu aies des doutes. La liberté est un immense sujet que l'on peut retourner dans tous les sens. Pour moi, nos contraintes sont le résultat de choix faits librement. Je ne les maudis pas. Elles n'en sont pas moins contraignantes. En pratique, tout ce que j'ai assumé au cours de ma vie n'était ni sous la menace, ni un coup du destin. Je l'ai choisi. Tu me renvoies ces fleurs. C'est ta liberté. J'avais laissé ce cahier pour que tu le lises et que tu découvres combien tu emplis ma vie à chaque page. Je te demande seulement de venir me retrouver à 17 h dans le café où nous allons parfois. Laisse-moi te convaincre que tout est encore possible. Ton chevalier assidu. »

Assise, maintenant, en face de toi, je te regarde, cherchant une raison de ne pas rompre. Te garder ? Continuer notre histoire ?

Je relève la tête. J'aperçois, derrière la vitre, une femme portant une robe blanche, qui me regarde. Elle m'adresse un léger sourire. Je ferme les yeux, cherchant son visage dans mes souvenirs. Lorsque je les ouvre, elle a disparu.

Je t'écoute me dire ce que je sais déjà. Je regarde ton alliance, la fixe, ma vision se trouble. La vie n'est-elle faite que de coïncidences ? Ta voix se mêle à celles de mon passé.

Je repense au soir d'été où des amis de mes parents arrivèrent pour passer quelques jours en Corse. Ils venaient de Grèce où, un soir, ils avaient vu une femme, habillée de blanc, traverser la terrasse, tenant en laisse un lévrier. Elle avançait, flottant dans l'air. Ils crurent à une hallucination.

Le lendemain et les jours suivants, la même silhouette fantomatique passa devant eux, évanescente présence, nimbée d'un halo clair.

Ils étaient tous si peu enclins au surnaturel que leur trouble, leur stupeur me firent rêver à la dame blanche, et croire qu'elle existait.

De retour à Paris, mon père m'emmena pour la première fois à une vente aux enchères à la gare d'Orsay.

— Lorsque tu verras un objet qui te plaît, lève la main, essaie d'emporter l'enchère.

Je scrutai les lots qui défilaient. Soudain, un commissionnaire entra, tenant dans ses mains un objet en porcelaine. Posée sur un socle, une femme habillée de drap blanc, son visage caché derrière un tissu admirablement sculpté, tenait un lévrier qui marchait devant elle.

— Tu m'écoutes ? me dis-tu soudain, m'arrachant au fantôme de mon souvenir.

Je te regarde et tout s'évanouit.

Je me lève. J'attrape l'anse de mon sac. Je sors sans me retourner. En chemin, je ne cesse de repenser à ces coïncidences, à tout ce que j'ai vu sans vouloir l'affronter.

Revenir devant ma feuille. Je commence à tracer des lettres, referme les mots qui vont mettre un terme, clôturer le champ de bataille. Rompre et trouver la dernière phrase.

M'arracher à toi par cette simple décision de finir ce texte. Dès que je cesse d'écrire, tout s'arrête.

Seules mes larmes coulent sur le papier, telle une encre transparente. Elles tombent, une à une, comme les mots de Gide : « Il serait temps de dire la vérité. Mais je ne pourrai la dire que dans une œuvre de fiction. » La fièvre me gagne. Je repense à Sartre. Pourquoi veut-il tout à coup poursuivre la composition des *Mots* sous la forme d'un roman en créant un personnage imaginaire dont le lecteur ne peut que se dire : c'est bien lui.

Comment se joue la différence entre les deux ? Quelle est cette vérité qui ne peut absolument pas s'écrire, et encore moins se vivre ?

Je t'ai caché par peur de te perdre. Pour te garder, pour me prouver que nous avons vécu. Ici repose ce qui n'a pas vu le jour. Tombeau pour ensevelir notre amour. Ces pages existeront bien après nous.

J'ouvre la boîte en fer, étale sur la table tous mes trésors : tes photos, tes lettres, les prospectus, les billets de train, d'avion, un caillou, la bague avec le cœur transpercé d'une dague, une bouteille emplie de sable et d'autres petits riens.

Talismans dérisoires. Je prends grâce à ces objets la mesure furtive du temps. Je les jette dans la corbeille.

Dormir. M'allonger. T'écarter de la réalité. Il fait froid. Sombre. J'avance, frôlant les murs de mes doigts. Essaie d'allumer la lumière. Me cogne à une table basse. Attrape le cordon d'une lampe. Appuie sur l'interrupteur. Rien.

Je marche dans le couloir, essayant de ne pas tomber. Je suis dans le salon. Pas une lueur. Je heurte un abat-jour, trouve le bouton-poussoir. Pas de courant. Mon cœur s'accélère.

La veilleuse de la bibliothèque ne marche plus. Je perds la notion de l'espace, de l'équilibre. Mes jambes se dérobent. Le téléphone sonne. Je ne sais plus où il se trouve. Tout l'appartement résonne de ce bruit strident.

J'ouvre les yeux, me relève. La lune éclaire le lit. Je repose ma tête sur l'oreiller, cherchant à ralentir le rythme de ma respiration.

Ma mère m'avait coupée de la lumière, m'empêchant de naître au désir, condamnant toute idée d'avenir. Je suis morte d'être née.

Les disparus étaient devenus mes semblables, mais je t'ai rencontré, et tu as reconnu
la part vivante en moi. Tu l'as saisie, puis
jetée dans le noir des jours sans toi.

J'ai attendu qu'elle ne soit plus là pour
lui désobéir, changer de route, délaisser la
petite fille qu'elle avait fait de moi et tracer
mon chemin.

Je ne prolonge rien, ne projette plus que
les images de toi qui défilent. J'attendrai
l'oubli.

Le sommeil ne revient pas. Mon portable
s'allume et clignote comme un lampion. Je
le coupe.

J'ai peur que tout s'arrête, que tout
disparaisse. Que les mots ne soient plus là
et qu'à mon réveil ne subsiste que le blanc.
Que tout ait sombré, que plus rien n'existe,
puisque tu ne seras plus.

M'arracher à toi. Mourir dans ton journal.
Finir enfermée dans une chambre forte,
scellée pour toujours.

Personne de ta famille ne connaîtra mon existence. Je reposerai à l'ombre de ta prison de feuilles. Il n'y aura aucun reflet de nous. Jamais je ne verrai les autres nous regarder.

Je t'affronte aujourd'hui, à travers cette histoire. J'écris ce journal intime, lueur dans la nuit, éclairant des instants de ma vie, des choses enfuies que j'épingle à ces lignes. Des fragments de ce que nous avons été. Avant que tes cahiers se consument et retournent au néant, je publie les bans de nos noces de cendre.

Achevé d'imprimer en juin 2007
sur les presses de la Nouvelle Imprimerie Laballery
58500 Clamecy
Dépôt légal : septembre 2007
N° d'impression : 706012
Imprimé en France